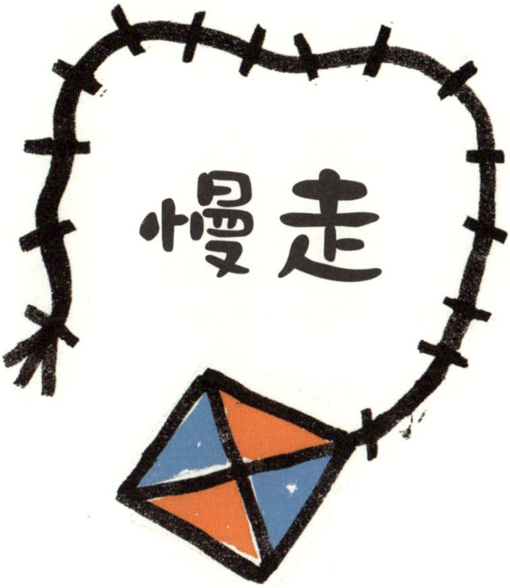
慢走

好想去旅行

·中国·

[波兰] 伊莎贝拉·卡卢塔 著
[波兰] 雅采克·安布罗热夫斯基 绘
黄珊 译

中信出版集团 | 北京

独特的文化

你喜欢面条吗?

那么冰激凌、风筝呢?

还有节日时，在天空中绽放的绚丽烟花?

——喜欢!

那么你是否知道，这些都是中国人发明的呢?

中国是亚洲最大的国家，也是世界上人口最多的国家，有近14亿人口。地球上现在一共有70多亿人，也就是说，世界上大约每5个人里就有1个是中国人。古代中国人认为整个世界是平的，而自己所在的国度处于世界的中心，因此称自己为“中央之国”，简称“中国”。

虽然中国各地的地域差异很大，但长期以来中国人形成了自己独特的文化传统和生活习惯。中国人的汉字是方块字，看起来就好像是一幅画；中国人用筷子吃饭，而西方人用刀叉吃饭；中国人崇拜龙，认为龙很吉祥，并且认为自己是龙的子孙，遇到像春节这样的盛大的传统节日，还会舞龙庆祝；中国人重视家族关系，亲戚朋友之间经常互赠礼物并互相帮忙。

中国人富有创造性，发明了许许多多的东西。比如纸张、钟表、指南针、火药和火柴，还有面条和冰激凌——这两样东西从中国传入了意大利，然后风靡了全世界。

今天的中国是一个生产制造大国，很多人称之为“世界工厂”。T 恤衫、毛衣、夹克、鞋帽、杯盘、钢笔、玩具、手机、电脑、冰箱、电视、桌椅……我们日常生活中所需要的一切，中国几乎都可以生产制造，想想看，这得是多么庞大的产业啊！

中国制造

如果你想去中国旅行，那么先在钱包里放进中国的货币——人民币（元）——然后就准备动身吧！不过等一下，那么着急做什么？中国人可总是在告别的时候说“慢走”呢。慢走，是一种健康和智慧的人生态度。慢慢走，才能想得更多，理解得更深。中国人不慌不忙，几千年来一直屹立在世界东方。

中国制造

中国制造

在这次旅行中，我们会一起了解神奇而有趣的中国传统文化，阴阳五行、针灸草药、四大发明，都值得好好探寻一番；骑着自行车逛北京的胡同，品尝地道的北京小吃；参观气势磅礴的秦始皇兵马俑；到广场上和公园里打太极拳、放风筝。

哈哈，你是不是有点跃跃欲试了？那我们就一起出发吧！

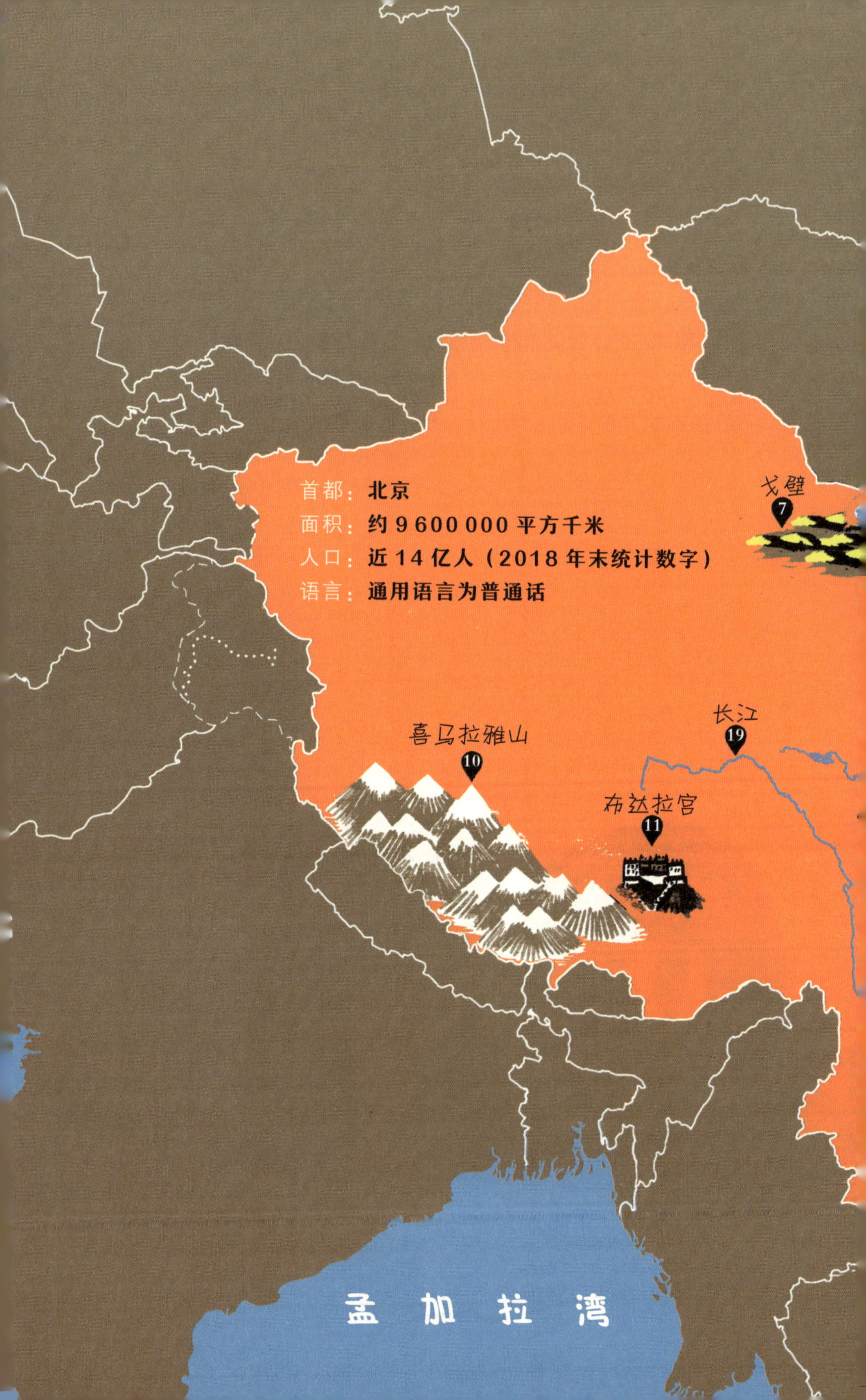
首都：北京
面积：约 9 600 000 平方千米
人口：近 14 亿人（2018 年末统计数字）
语言：通用语言为普通话
戈壁
7
长江
19
喜马拉雅山
10
布达拉宫
11
孟加拉湾

哈尔滨
2
日本海
北京
1
长城
3
渤海
潍坊
15
平遥
5
京杭大运河
13
曲阜
4
黄河
21
西安
6
少林寺
22
上海
12
黄海
南京
16
山大佛
9
三峡大坝
20
苏州
14
杭州
27
东海
桂林
17
林
23
广州
24
阳朔
18
香港
25
海南岛
26
南海
南海诸岛

1. 

北京——中国的首都。故宫、天安门、颐和园、天坛、钟楼、鼓楼和胡同，所有这些尽在北京！

2. 

哈尔滨——这里每年都会举办国际冰雕艺术节，又被称作“冰城”“东方小巴黎”，是一座非常美丽的城市。

3. 

长城——中华文明的象征，古代修建长城用以保护农耕地区免遭游牧民族入侵。目前保存最完好的长城是明长城，长约 8850 千米。

4. 

曲阜——这里是中国最重要的思想家、教育家孔子的故乡和陵墓所在地。以孔子学说为代表的儒家思想对中国文化的影响很大。

5. 

平遥——一个保留了几百年前历史风貌的小城。在这里，你仿佛置身过去的中国，可以感受一种特别的氛围。

6. 

西安——这里是丝绸之路的起点，连接中国与欧洲之间的商贸往来。在西安近郊，坐落着中国历史上第一位皇帝——秦始皇的陵墓，陵墓由兵马俑守卫着。

7. 

戈壁——世界上巨大的荒漠与半荒漠地区之一。

8. 

成都——四川省省会，四川以口味辛辣的食物和珍稀的大熊猫而闻名。

9. 

乐山大佛——一尊雕刻在岩石上的巨大佛像，高达71米，成年男子踮起脚也只能摸到佛像的脚。

10. 

喜马拉雅山——世界上海拔最高的山脉，其最高峰珠穆朗玛峰高达8844米。

11. 

布达拉宫——坐落于拉萨市西北的玛布日山上，是世界上海拔最高，集宫殿、城堡和寺庙于一体的宏伟建筑群，也是藏民们的朝圣之地。

12. 

上海——在这里，精致的园林、佛寺被摩天大楼环绕，古典和现代完美交融。

13. 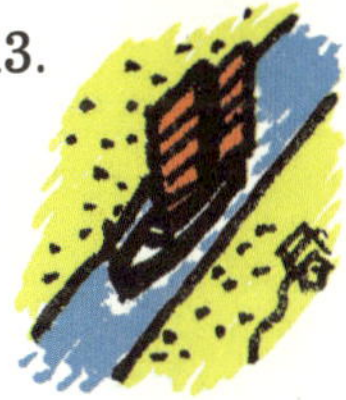

京杭大运河——贯通中国南北水路货运的运河网络，是世界上最长的人工河道。

14. 

苏州——一个小桥流水的城市，园林之城、丝绸之都，有“东方威尼斯”之称。

15. 

潍坊——位于山东省，是风筝故里。

16. 

南京——历史上曾多次作为中国的都城，历史悠久，人文气息浓郁。

17. 

桂林——桂林山水甲天下，这里的山峰奇险、云遮雾绕。中国人因喜欢这里梦幻般的景致，将它印在了 20 元人民币上。

18. 

阳朔——离桂林不远的旅游小镇，这里可以在稻田埂上骑自行车，在漓江上划竹筏子，还可以看鸬鹚如何捕鱼。

19. 

长江——中国最长的河流，全长 6300 多千米，流经中国很多省市。

20. 

三峡大坝——当今世界最大的水利枢纽工程。

21. 

黄河——中国第二长河，长约 5464 千米，被认为是华夏文明的母亲河。

22. 

少林寺——河南嵩山上的佛寺，古时候寺里的僧人们为了防御盗贼土匪，开始练习功夫，逐渐创建了自己的武术流派。

23. 

石林——高低林立的石灰石岩石群，形似飞禽走兽和树林。

24.

广州——珠三角地区的大城市，商贸往来非常频繁，也是中国重要的对外贸易港口。

25.

香港——世界上人口密度最高的城市之一，也是世界金融中心之一；从太平山顶俯瞰下面的维多利亚港，景色美不胜收。

26.

海南岛——位于中国最南端的海南省，那里有碧海、蓝天、阳光、棕榈树、沙滩……中国人很喜欢来这里度假。

27.

杭州——拥有“西湖十景”的美丽城市，中国人常说的“上有天堂，下有苏杭”的“杭”就是这里，出产的龙井茶是中国的名茶之一。

目录

哈尔滨

北京

数字稍稍不同，相差千里万里

1

中国幅员辽阔，陆地上与 14 个国家接壤，面积相当于除俄罗斯以外的其他欧洲各国的面积之和。中国领土最北端在黑龙江省漠河以北的黑龙江主航道中心线上，最南端在南海的南沙群岛中的曾母暗沙，最东端在黑龙江和乌苏里江主航道中心线汇合处，最西端一般认为在新疆帕米尔高原。

在这片广袤的大地上，有江南水乡，也有沙漠戈壁；有崇山峻岭，也有低洼盆地；有热带海岛，可以尽情地享受阳光和大海，也有寒冷的北方，一些地方整个冬季都是白雪茫茫，气温极低。

中国有 56 个民族，各民族的服饰、生活习惯都不尽相同，有不少少数民族还拥有自己的语言和文字。不仅如此，因为中国的国土面积十分辽阔，从南到北，从东到西，各个地区在自然地理环境和风土人情上的差异也非常大，比如广东人和北京人，在语言、饮食习惯，甚至脾气秉性等方面，都非常不一样。

在中国的城市和乡村生活，感受会有很大的不同。在北京、上海、深圳或香港等大城市中，你会看到高耸入云的摩天大楼，宽阔街道上跑满了汽车，时髦的姑娘们打着精致的阳伞，商业精英们身着昂贵的西装，每个人都行色匆匆。中国的乡村则各有特色，有的越来越像城市，有的还保留着几千年来的素朴与宁静，呈现出较大的差异性。

银川

大理

地道中国话

汉语是中国的通用语言。可是你知道吗？汉语也是世界上最难学的语言之一，尤其是对于外国人来说，学习这门语言是非常困难的。

汉语的实际使用情况也非常复杂。如果你去过中国的很多地方，就会发现上海人说上海话，广东人说粤语，湖南人说湖南话……这些地方性的汉语被称为“方言”。

汉语的方言大体可分为七个大类，它们分布在不同的地区，在语音、词汇、语法上存在一定差异，导致不同方言区的居民互相之间难以理解。于是，人们想了一个办法，那就是推广“普通话”！这是一种以北京语音为标准音，以北方话为基础方言，以典范的现代白话文著作为语法规范的现代汉民族共同语。不管所在地说什么方言，所有人在学校里都要学习普通话，这样交流起来就方便了。

汉语拼音里有很多韵母，比如 ɑ，o，e……又有很多声母，比如 b，p，m……声母和韵母组合起来，就是一个拼音，而一个拼音有四个声调。拼音可以给所有的汉字标音，但一个拼音有时会有多个汉字相对应，比如 wǔ，就有“五”“午”“舞”“武”等好多个同音字……至于要用哪个，你可要仔细分辨了。拼音非常方便，尤其是在用手机、电脑时，输入拼音，就会出现相应的字词，大大提高了输入速度。

但是汉字却是非常古老的文字。

汉字从很久很久以前一直流传至今，中间经历了甲骨文、金文、篆书、隶书等字形的变迁，才变成今天的模样。相传，是仓颉创造了汉字。仓颉有四只眼睛，每只眼睛有两个瞳孔，目光很有穿透力。他长时间观察大地、日月、星辰和鸟兽，最终掌握了它们的特征，并用字符表示了出来。从此中国人能够不断用文字记录历史，流传后世，形成了灿烂的中华文明——这就是文字神奇的力量。

汉字的造字法有六种，称为“六书”，分别是象形、指事、会意、形声、转注和假借，这也体现了汉字的内在规律。比如一个人张开了双臂双腿，就是一个“大”字，古代人认为天大、地大、人也大，故用有手有脚的人形来表示大，这就是象形的造字法；而“小”，则是表示一个东西被分成左右两份，越分越小，这就是会意的造字法。如果能了解每个汉字造字的故事和本来的意义，相信你能记忆得更深刻。

除此之外，汉字的书写还要遵循一定的顺序，称为“笔顺”，笔顺只能靠一遍一遍地练习才能掌握，但是从本质上来说，笔顺会让书写效率更高，横平竖直写顺了，也很容易举一反三。

汉字又称为“方块字”。小学生练字，都要把汉字抄写在方方正正的田字格里，以训练书写的结构和顺序。田字格的小方块方方正正，连绵成片，很像一大片田地；而每一页横向纵向 ，一排排、一列列汉字，像军队的士兵一样，排列得整整齐齐，令人赏心悦目。

一个中国人只要掌握 3500 个常用汉字，就足够阅读书籍、报刊，满足生活中遇到的基本阅读需要。遇到不认识的汉字，可以查阅字典，最通用的《现代汉语词典》收录 13000 多个单字，但日常生活中用不到那么多。

翻开《现代汉语词典》，你会发现很多单字后有一个括号，括号里是这个字的繁体写法，笔画较多。没错，汉字分为简体字和繁体字。现在通用的简体汉字出现于 20 世纪 50 年代，是为了更容易地学习汉字而推广的。繁体字也很常见，比如很多书法作品就是用繁体字书写的。在中国的台湾、香港、澳门等地，人们使用繁体字。一般情况下，简体字横排，从左至右读写；繁体字竖排，从上至下读写。

盘古和黄帝

中华文明十分古老，差不多和这个世界一样古老。为什么这样说呢？这个问题可以有很多个答案。中国有数不清的神话与传说，讲述长生不老的神仙、美丽的仙女、勇敢的英雄、龙和凤、麒麟和其他许许多多的珍禽异兽。

在这些故事中，有人开天辟地，有人遍寻仙山灵药，有人解救穷苦之人……历史的真相与艺术的加工交织在一起，人们早已分不清哪些传说中的故事是真实发生的，哪些是虚构的，而且有些故事还拥有不同的版本……

在中国的神话传说里，关于世界起源的故事是这样的：

在很久很久以前，宇宙一团黑暗混沌，像一个巨大的鸡蛋，巨人盘古在其中一睡就是一万八千年。

一天，盘古突然醒来，不知从哪里抓过一把大板斧，朝着眼前的黑暗混沌用力一劈，把混沌分成了两半，一半成了天，另一半就成了地。盘古站起身，把天空撑了起来，他越撑越高，直到高出地面好多。不知过了多少年，天地已经很稳固了，疲惫的盘古倒下了，再也没有醒来。他的双眼变成了太阳和月亮，身躯化作大地上的四极，肌肉变为土壤，血液成为江河……

天地创造好了，那么人类是怎么来的呢？一种说法是天神女娲用黄土和水，依照自己的模样，捏成了人类。另外一种说法则是女娲和自己的兄弟伏羲结合，繁衍出了人类。

有了人类，便逐渐形成了原始社会。史书中记载，那时候的中国人由三皇五帝统领，开创了中国的远古时代。三皇五帝的说法众多，莫衷一是，其中最知名的当属黄帝。

黄帝居住在黄河边，黄河是华夏文明的母亲河。根据传说，黄帝是五帝之首，是中华文明的人文始祖。据说他发明了音乐、房屋等，而他的妻子嫘祖则教会了人们养蚕纺丝。黄帝在位约有百年，有一天，一条巨龙飞到他的身边，他爬上龙背，腾空而去，再也没回来。这样的祖先可真酷啊！

十二生肖

很久很久以前，人们是没有生肖的，于是玉皇大帝决定给人们排定生肖。总共有 12 种动物动身前往天庭，最后会根据它们来到天庭的先后作为生肖中的排序。

龙、虎、兔、马对什么都好奇，因而常常在半路上停下来四处张望。老牛行动迟缓，但坚持不懈，因此第一个来到天宫。然而这头可怜的老牛没有注意到，一只狡猾的老鼠一路舒服地坐在它头上的两个犄角之间。正当老牛要迈进天宫的门槛时，老鼠跳下来抢先跑到玉帝面前，它最终成为十二生肖之首。

中国古人用十二地支来纪年，即子（鼠）、丑（牛）、寅（虎）、卯（兔）、辰（龙）、巳（蛇）、午（马）、未（羊）、申（猴）、酉（鸡）、戌（狗）、亥（猪），与 12 种动物相对应，使得这种纪年方式更便于记忆。十二生肖作为历史悠久的民俗文化，在民间手工艺品、窗花、年画中都可以见到。

所以，在中国农历中，每一年都有一只生肖动物守护，这一顺序从未变过。“你属什么？”这一问题能够帮助中国人快速确定对方的年龄，只需要记住生肖顺序就可以了。

人们还将生肖和人的性格联系起来：老鼠精明，由此推出鼠年出生的人善于聚财；牛年出生的人勤勤恳恳，老实厚道；而对

于虎年出生的人来说，没有什么是不可能的；兔年出生的人温顺机敏；龙年出生的人，正像龙一样，视野开阔，气度不凡；龙之后则是神秘的蛇、独立自强的马、善良的羊和机灵的猴；最后，则是骄傲的鸡、忠诚的狗和慷慨大方的猪。

狗

1958 1970
1982 1994
2006 2018

牛

1949 1961
1973 1985
1997 2009

鸡

1957 1969
1981 1993
2005 2017

找找看，你和你的爸爸妈妈、爷爷奶奶都是什么生肖属相的？

猴

1956
1968
1980
1992
2004
2016

虎

1950 1962
1974 1986
1998 2010

猪

1959
1971
1983
1995
2007
2019

鼠
1948 1960
1972 1984
1996 2008
蛇
1953
1965
1977
1989
2001
2013
龙
1952 1964
1976 1988
2000 2012
马
1954 1966
1978 1990
2002 2014
兔
1951 1963
1975 1987
1999 2011
羊
1955 1967
1979 1991
2003 2015

福到了！

在中国，新的一年从春节开始。这是为什么呢？几千年来，中国一直以农耕文化为主，所以要在春天来临之际迎接新年。正因如此，春节并不在公历 1 月 1 日，而是在农历正月初一。农历是根据月相的变化周期而确定的，因此每年春节的公历日期都不同，一般是在 1 月 21 日到 2 月 20 日之间。

为了过个好年，一进入腊月（农历十二月），人们就开始忙碌起来，采买大量年货，还要进行大扫除。另外，男女老少都要添置新衣服，好在大年初一的时候换上新装。还有很多家庭会在新年时买来新筷子，并扔掉旧东西，这些都寓意着辞旧迎新。

春节是人们走亲访友的大好机会。人们拎着大包小包的礼物馈赠亲友，与自己最亲近的家人一起度过一段美好时光。有的身在外地生活、工作的人则会乘坐火车、飞机、汽车等交通工具，不远千里赶来与家人团圆。

贴窗花、贴福字、贴门神，是自古以来的春节习俗。窗上贴着用红纸剪出的漂亮窗花；大门两侧也贴上长长的写满祝福的对联；门上还会贴上门神、福字，象征着幸福吉祥。而且福字通常是倒着贴的，因为“福倒了”意味着“福到了”——福气临门。

一年中的最后一天被称为“除夕”，一家人要团聚在一起，

吃一顿丰盛的年夜饭。不同地区的年夜饭菜单略有不同，但都会准备一些象征幸福、美好与团圆的菜肴。菜单里通常有用不同方式烹饪的鱼，因为“鱼”与“余”谐音，象征着年年有余、生活富足。饺子和年糕通常也会出现在年夜饭菜单中。

除夕夜，很多人通宵不睡，这叫作“守岁”。人们都在等待一个激动人心的时刻，也就是旧的一年结束、新的一年来临的时刻！12点一到，新的一年开始了，爆竹声震天，烟花照亮了夜空，驱逐可怕的“年”兽。

“新春快乐！”“过年好！”大年初一，人们要互相拜年，大人们还会给小孩发装有压岁钱的红包。很多人穿上代表喜庆的红色服装。这一天，大街上热闹非凡，锣鼓喧天，庙会上还有舞龙和舞狮表演，所以过年去新春庙会或者公园里逛一圈是再好不过的选择。

在春节期间，人们除了祭拜祖先，还会敬拜各路神仙，比如正月初五迎财神，正月初十拜石头神——这一天，碾、磨、石臼等石器都可以放个假。到了正月十五，新年的第一个月圆之夜，就是元宵节。元宵节要挂灯笼，还会用糯米做成形似满月、香甜软糯的元宵（汤圆），一定要尝一尝啊！

在这之后，节日告一段落，生活也重回往日的忙碌。农历二月初二叫作“龙抬头”，又被称为“春耕节”“农事节”，人们庆祝这个节日以示敬龙祈雨，让老天爷保佑丰收。于是，春天就这样开始了……

吉祥的中国龙

中国人自称“龙的传人”，在中国，龙是高贵、尊荣的象征，也是幸运和吉祥的标志。龙的形象出现在寺庙的屋檐上，也出现在皇宫里，大门、门环、餐具、花瓶、扇子、宝剑、香炉、屏风和衣服上，到处可以看到龙的形象。龙还是十二生肖中唯一一种现实中不存在的生物，与猪、羊等不同。

中国龙不同于欧洲能吐火的龙，它长得更像蛇，但多了四只脚，身上覆盖着鳞片；龙长着骆驼一样的头，有牛的耳朵和鹿的角，以及兔子一样的眼睛；龙最爱龙珠，所以常把龙珠抓在爪子里或者藏在胡须下面。它没有翅膀，却能腾云驾雾！同时，它也能下潜到海底深处，翻江倒海。龙，是一种兼具人的智慧与神的威严的神兽。

龙王掌管天气变化。因此在干旱的时候，人们会祈祷龙王降雨。你能想象，就是这样一条巨大的飞龙在呼风唤雨，带来了台风和暴风雨吗？在今天的中国香港，我们还能看到一些奇怪的高楼，楼中间有个大洞，称为“龙门”，据说这是设计师为了让龙从中穿过而专门留出的。

相传，黄帝就是龙的儿子，因此，龙在古代是最高统治者的专属象征，普通人不能随便使用龙的图案。当然，到了今天，龙早已成为整个中华民族的象征了。

各种节日里也少不了龙的身影。农历二月初二是“龙抬头”的日子，农民会开始田地里的劳作。很多人认为这个日子是做改变的好时机，比如说换个新发型，所以这一天理发店里总是大排长龙。农历五月初五端午节，人们还会在河湖上赛龙舟。

舞龙是中国年节庆典里不可或缺的节目。伴随着热闹喧腾的鼓点，庞大的龙身灵活地穿梭飞舞。从远处看，感觉就好像一条真正的龙在上下翻飞。

龙舟和纸钱

中国人非常喜欢过节，喜欢把每一个节日都当成大日子来过。农历五月初五端午节，也称作“重五节”（中国人喜欢这样的日子，还有七七乞巧、九九重阳等）。

端午节最大的看点当属龙舟比赛。比赛用的龙舟船体狭长，装饰有龙头和龙尾。每条船上都坐有数名桨手，还有击鼓呐喊的鼓手和舵手。龙舟比赛在很多地方都会举行，人们对此报以极大的热情。而在端午节期间，人们也会吃节日美食粽子，它是用糯米或江米做成的，通常用箬叶或芦苇叶包裹。

端午节最早是为了纪念大诗人屈原。相传，屈原热爱楚国，性情高洁，为佞臣不容而被流放，后得知楚国灭亡，忧愤之下选择投江自尽。得知消息的村民们纷纷划着船前去搭救，但为时已晚。桨手们大声擂鼓，将水里的鱼虾吓跑，并用箬叶包裹着糯米投入水里，好让鱼虾不去啃咬屈原的遗体。

在中国传统文化中，“家庭”和“家族”都是很重要的，因此有两大重要节日，是祭奠先祖、缅怀亲人的。第一个是清明节，人们在这一天会打扫祖先的坟墓，并在坟前摆上先人喜欢的菜肴。此时正是春季，人们也常常在这个时节去郊外踏青，不动火，吃寒食，所以又叫“寒食节”。

第二个与纪念亡者有关的节日是农历七月十五，又叫“中元节”或“鬼节”。传说这一天地府的大门会打开，亡者的魂灵可以回到地面上来。以前人们会在这一天为逝去的亲人焚烧纸钱，也就是冥币，但焚烧纸钱很不环保，近年来人们改为在坟前摆放鲜花来寄托哀思。家里供奉着的祖先牌位要拭去灰尘，因为这上面也寄托着对祖先的思念。

月饼与十个太阳

农历八月初，商店里会出现许多大小不一、五颜六色的盒子，在精致的盒子里装着一块块点心。这些点心的馅料各不相同，有豆沙的、莲蓉的、五仁的，等等。色彩也花花绿绿：金黄、墨绿、雪白甚至是紫色。不过，它们的形状大体相同，都是满月的圆形，它们也因此而得名为“月饼”。

月饼上市，意味着中秋节要到了。中秋节又叫团圆节，在每年农历的八月十五。这一天，在外的游子都会归乡，与家人一起赏月，品尝瓜果和月饼。

据传，月饼与月宫仙女嫦娥有关。嫦娥是百发百中的神箭手羿的妻子。很久很久以前，天空中有十个太阳。地球上的生灵都无法忍受这样的酷热，河流干涸，作物枯萎，人类和鸟兽都又饥又渴。当人们都束手无策的时候，羿毅然决定，用自己的神弓射下天空中那要命的九个太阳。他成功了！作为拯救世界的奖励，神仙赐给他两粒长生不老药。

然而恶人逢蒙得知了这个消息，于是趁羿外出打猎时闯入羿的家中，逼着嫦娥交出灵药。嫦娥情急之下，一口吞下了两粒灵药。不一会儿，她发现自己的身体轻盈起来，逐渐升高，并且越飘越高。

羿打猎回来，发现嫦娥不见了，灵药也不见了。他到处寻找自己的妻子，最后无力地坐在花园里痛哭了起来。

就在这时，夜空突然变得明亮起来，乌云后面露出了一轮皎洁的明月。羿抬起头，在月亮上发现了一个影子，那影子是如此熟悉……“嫦娥！”他忽然明白了，“快回来吧，我的爱人！”他焦急地呼喊着，回应他的却是一片寂静。

羿一刻也没有停止过对妻子的思念。每年，在妻子飞升的那一天，他都会在院里摆上做成满月形状的点心，期待有一天可以夫妻团圆。

炒锅烹大餐

中国人喜欢美食，喜欢做饭，也喜欢聚在一起吃饭。饮食是中国文化中非常重要的一部分，而烹调也是一门学问。好的中国菜不仅要营养健康，还要色、香、味俱全，甚至连名字也很重要！一个好菜名能唤醒味蕾，激发人们对美食的渴望。

菜叶里卧着一个肉丸子，中国人称之为“狮子头”，大概因为肉丸子比较大，圆圆的形状如同狮子的头；鸡爪叫作“凤爪”；肉末粘在粉条上，取名“蚂蚁上树”；切成块的西红柿撒上白糖，取名“雪压火焰山”。

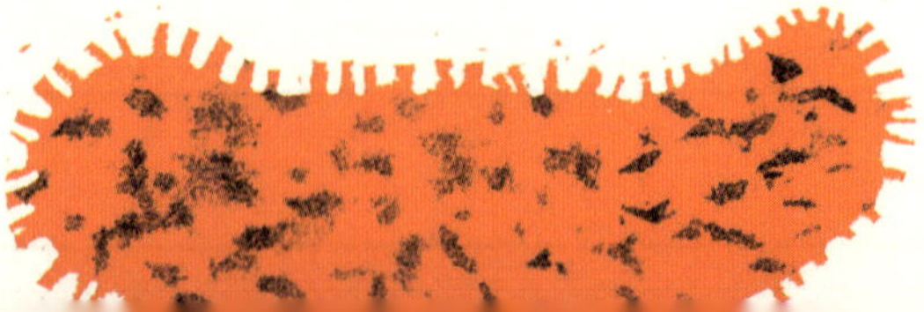

中国人喜欢吃做熟的食物，认为食物经过蒸、煮、烹、炸之后，会更安全、更容易消化。唯一的例外是水果，水果大都生食，不像西方有很多烹煮水果做成的甜品。不过在许多中国菜肴中也会看到水果的身影，比如广东人爱吃的菠萝古老肉、浙江人喜欢的话梅排骨，还有鲁菜中的名菜拔丝香蕉。

在中国人的厨房里，最重要的厨具就是炒锅。炒锅可以完成大部分烹饪任务，集煎、炒、烹、炸各种功能于一身。炒锅的尺寸大小不一，有些很小，有些很大。一些餐馆后厨里使用的炒锅直径甚至能达到一米。

炒锅升温快，因此烹调过程可以十分利索地完成。锅中的油烧热后，将切好的食材放入翻炒（如果你会的话，还可以颠勺），最后调味，这样就可以出锅啦！伴随着蒸腾的热气，短短十几分钟之内，一道美味就完工啦！

很多中国菜的味道令人惊叹，虽然所用食材非常普通。你能想象普普通通的四季豆，也能给你的味蕾带来美妙的享受吗？比如川香干煸四季豆，在品尝的过程中，先是舌头发麻，然后感受

炒锅

到辣味，又麻又辣的味道加上炒得焦干的四季豆，嚼上几口，让人忍不住还想吃！这道菜的秘诀在于用到了花椒。除了花椒，中国菜中还有很多神奇的调料，它们带来的独特味道让人回味无穷。

中国人的餐桌上也会出现一些不同寻常的食材，比如燕窝、海参、龟、蛇……广东人以食材丰富而闻名，有一种夸张的说法是：除了两条腿的筷子、四条腿的桌子，其他的什么都吃。爱吃的中国人啊！

豆腐

关于豆腐，最简单的解释是，这就相当于中国的奶酪。然而实际上，豆腐和奶酪毫无关系，也不能夹进三明治里，中国人可不这么吃。豆腐是纯素食主义者（不吃肉、蛋和奶制品的人）和素食主义者（只是不吃肉的人）的理想食物，可以完美代替肉类、蛋类和奶制品。在中国的很多素菜馆里，你可以吃到素鱼、素鸡、素兔甚至素肉串——所有这些都是豆制品！

相传，豆腐是汉朝淮南王刘安偶然发明的。他追求长生不老，喜好炼丹之术，阴差阳错地向豆浆里加入了一些苦卤。第二天，就形成了细腻的豆腐（豆腐花）。幸运的是，他还记得自己头一天做了什么！

自那以后，中国人就十分喜欢这种食物，并研制出各种衍生的豆腐制品，将它晒干、烟熏、制作成不同的形状。据统计，用豆腐做成的菜肴多达 400 多种。还有很多奇怪的豆腐，比如臭豆

腐、毛豆腐等。毛豆腐是安徽的一道名小吃，切成块状的豆腐表面发酵生出一层漂亮的白毛，用油炸过之后蘸上辣椒粉吃。

中国的大型超市里通常都有摆放豆腐制品的专门货架，陈列着新鲜的、半加工的豆腐和豆腐干。豆腐用各种不同的方式加工处理，切成各种不同的形状：大块的，薄片的，细丝的，打结的……你也可以买到柔软的豆腐皮，或是包装精美的礼盒装豆制品。

欧洲的素食主义者喜欢把豆腐制成特殊的乳膏，拿来涂抹面包、做蛋糕；而中国人的烹调方法可就丰富多了，煎、炒、烹、炸、煮一应俱全，还可以凉拌呢！

筷子

中国人为什么用筷子吃饭？显然，这是因为筷子最方便！筷子可是世界上流行的餐具呢！

中国人至少在 3000 年前就开始使用筷子了，这个传统也逐渐被邻国（如日本、韩国）接受。你也许会奇怪：为什么不是全世界的人都用筷子吃饭呢？毕竟，在筷子的帮助下，你可以轻而易举地夹起各种菜肴——大的小的，条的块的，方的圆的……

筷子可以由不同的材质制成，比如竹子、木头、塑料以及金属。有时筷子的尾部还会进行雕琢或是彩绘。中国、日本和韩国的筷子在外观上也有些许差异。中国筷子最易辨别：它们足够长，通常在 22 至 25 厘米之间，头部稍细，尾部呈方形。日本的筷子通常比较短，韩国筷子多用金属制成。

在有些餐馆里，每人面前的一套餐具中经常会包含两双筷子：一双是公筷，用来从菜盘中夹取食物，另一双则用来吃自己盘子里的食物。

用筷子吃饭有一些基本的礼仪。如果你不想被认为失礼，就永远不要拿筷子指着其他人，也不要随意把筷子散放在桌子上，更不要舔筷子或者咬筷子！

如果你从一盘菜里夹了一筷子菜，就不要再把它放回去。也不要拿筷子敲碗，那是乞丐要饭的做法。特别是不要把筷子竖着插在饭碗里，在中国的很多地方，只有在祭祀时才会这么做。

筷子在烹饪过程中也大有用处。厨房里使用的筷子非常长，可以轻松地将焯好的菜从热汤里捞出来，也可以在热油锅里翻炸豆腐块、油条、鱼块。或许这就是人们最早发明筷子的原因，即用两根竹条代替双手。

使用筷子时会同时调动手指、手腕和手臂上的多组肌腱和肌肉，更不用说不计其数的神经元了。由于人类的大脑对手部动作的反应相较身体其他部位更为强烈，因此用筷子吃饭可以锻炼手部精细动作，从而促进脑部发育。还不快来试一试?

中国的美食秘方

一走进中国人的厨房，就能听到热闹的声响：大刀切肉时刀刃落到案板上发出整齐的声音，锅碗瓢盆相互碰撞、叮当作响，热油也在锅中发出滋滋声。然后就是气味：生姜、大蒜、辣椒……很快，一道道美味佳肴就从锅里盛到了我们的盘子里——不，不是我们自己的盘子，而是我们大家的盘子里！因为中国人吃饭的时候，菜肴都被装进盘子、大碗、干锅和钵里，摆在桌子中央。

每个人都拿筷子夹取自己喜欢吃的菜，然后放在面前的小碟子里。中国的大餐桌通常是圆形的，因为这样最方便夹菜，每个人都够得到中间的菜肴。餐馆为了顾客的方便，会在桌子中央放置一个巨大的转盘，只要转动转盘就可吃到各色美味。不过，可别跟其他人反着转啊！哪怕你很想吃某一道菜，也得等到它转到你面前的时候才能动筷。

中国人热情好客，宴席通常会非常丰盛，而且客人越多，席面越齐整。一般来说宴席上少不了汤，也会有各种饮料提供。那米饭呢？米饭不是中国人餐桌上最常见的主食吗？米饭当然有，但通常要等到用餐快结束的时候才会端上。在中国的宴席上，米饭和馒头等主食通常负责扫尾，也许是为了不让任何一位宾客饿着肚子离开饭桌。

中华美食享誉世界，是什么让它如此独特？要知道，中国菜可不仅仅是外观令人赏心悦目，比如时常点缀由蔬果雕刻而成的精美造型。中国菜菜品多样，色、香、味并重。一名优秀的厨师懂得将不同的味道调和起来，融为一体，让每一种食材的优势都得到最大程度的发挥。

中国人最常用的烹饪方式是混合爆炒。这一过程短到仅需几分钟，反倒是准备食材比较费时。厨师可以只用一把菜刀，就能娴熟地将各种食材切成不同的形状：块、条、丝、片、末……这把菜刀甚至还可以用来削皮。经过这样的处理，菜更易熟，不必炒制太长时间，我们就可以拿起筷子开动啦！

在中国不同的地区，人们喜欢的食物也很不一样。四川人喜欢在烹饪食材时加入辣椒和花椒，赋予菜肴又麻又辣的口感；广东人热衷于煲汤，口味偏爱清淡；浙江人则喜爱酱油带来的咸鲜味道。主食方面，也是各有各的特色，比如山东人会蒸制花样馒头，而山西人则偏爱面条。

北京烤鸭

连皮整只放进烤炉烘烤的鸭子，色泽光亮、香气扑鼻。把它片成薄片，配上脆生生的黄瓜条、甜面酱和京葱丝，一齐放在薄薄的荷叶饼里卷起来，就可以大快朵颐了。有的人喜欢拿鸭皮蘸白糖吃，你也试试吧！

推 荐

担担面

无与伦比的辛辣美食！一碗加了肉末的面条，辣椒、大蒜、花椒、香葱末、芝麻酱和高汤共同组成了它的美妙滋味。

宫保鸡丁

在全世界知名度最高的中国菜之一，将鸡丁和花生同炒。这道菜的美妙之处在于其中的鲜明对比：软嫩的鸡丁与圆润酥脆的花生，酱汁的清甜与辣椒的热辣。

麻婆豆腐

把切成块的白豆腐和辣酱、肉末爆炒，再撒上葱末，色、香、味俱全。

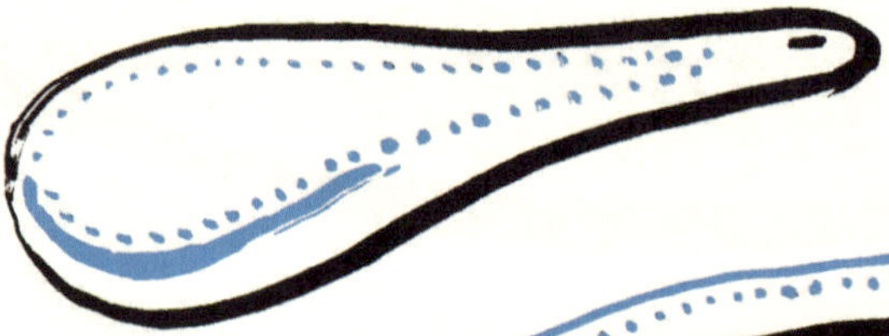

白粥

白粥看起来是世界上最简单的食物：只要把大米和水加入锅中，然后用小火慢炖即可，不用加任何佐料。冬天的早晨，一定要尝尝这种味道清香的稠粥。很快你就会发现自己的胃变得暖和起来，而且这种食物非常健康。

品种丰富

水饺

饺子可以蒸着吃，也可以煮着吃。饺子馅有各种各样的组合方式，各种肉类、蔬菜甚至豆腐，都可以包进饺子里。

饺子要蘸米醋或专门的饺子醋食用。当然，你也可以调制自己喜欢的酱汁，比如在醋里加点酱油、辣椒油什么的。

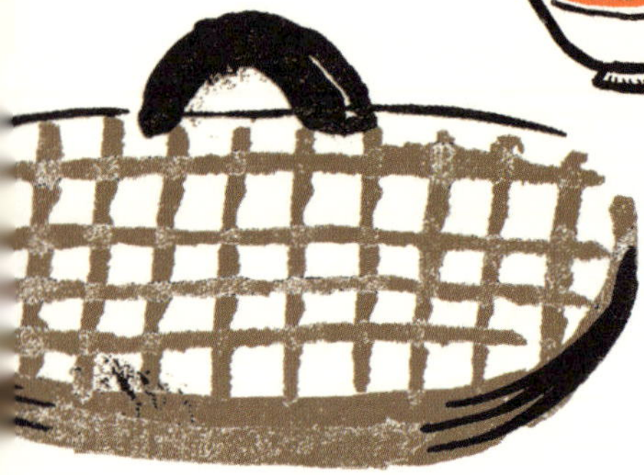

包子

包子皮经过发酵后松软香甜，馅料像饺子一样丰富。放在蒸笼上蒸熟，样子有些像洋葱头。

的面点

馒头

没有馅儿没有褶儿的包子。

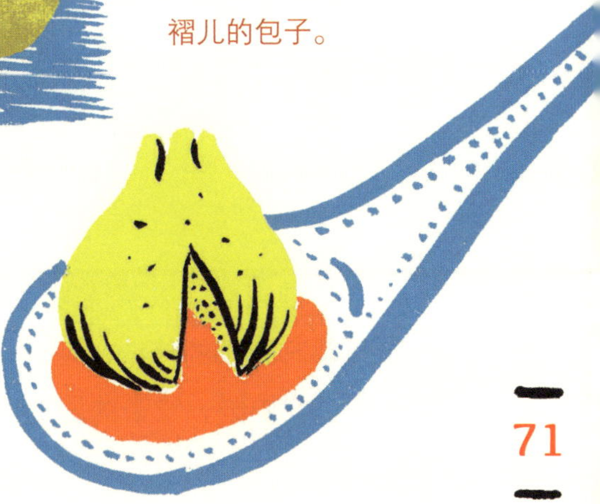

汤包

汤包里的汤汁十分诱人，吃的时候要先在包子皮上开个小口，吸出里面的汤，然后再吃剩下的部分。要小心，千万别被烫着。

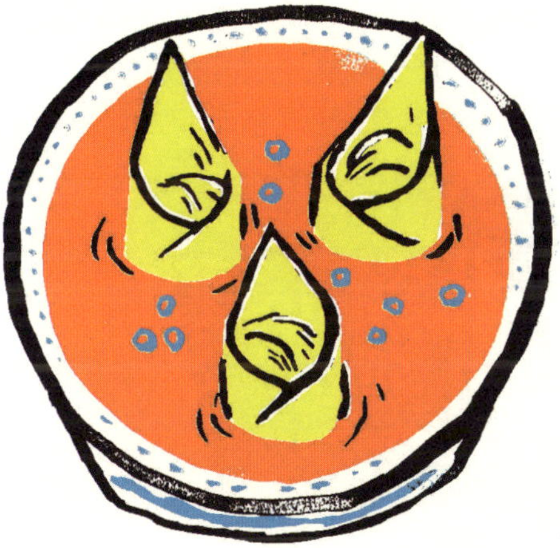

馄饨

漂在汤里的“饺子”，但馄饨皮要更薄，形状也与饺子不同。

锅贴

锅贴的形状各地不同，一般是细长的饺子状，只是做法和水饺不同。要先用油煎，再加入适量的水，盖上锅盖焖熟，因此底部酥脆，上部松软。

铁观音还是碧螺春？

中国人喜欢以茶待客，泡茶的方式也很特别。全世界有很多国家都有饮茶的传统，但有一点毋庸置疑，这种优雅的饮品源自中国。在中国，饮茶的历史可以说是非常悠久。

相传远古时期，神农氏是农耕之神，对植物和各种药草非常感兴趣，常常以身试药。甚至有传言说神农氏腹部透明，可以观察吃下和喝下的东西在肚子里如何变化。

有一天，神农氏尝药时遇到毒草，后来通过咀嚼一种绿色的树叶得以解毒，这种叶子气味清新，令人愉悦。好奇的神农氏开始深入地研究这种树叶。就这样，神农氏第一次发现了茶叶的功效。只是今天的我们并不像神农氏那样直接咀嚼新鲜的茶叶，而是用热水冲泡炒干的茶叶，饮用茶水。

其实，茶的饮用方式是变化的，宋代的人们曾将茶碾成细末并在饮用时添加调料。而今天的冲泡茶叶法，是在明代才形成的。

最初，茶被当作一种昂贵的药物，后来才逐渐成为日常饮品，并因品质不同分为三六九等。你可以在许多关于茶的传说中，听到“贡品”二字，贡品就是专供皇家享用的珍贵物品。

唐代有一位茶学专家，名叫陆羽，他在所著的《茶经》中对茶进行了仔细的研究，从茶叶的采制到器具、用水、烹煮等，总结了一整套完备的饮茶方法。因此至少从唐代开始，饮茶之俗就风行了，并且一直流传到今天，以至于在中国有一句俗语：“早起开门七件事，柴米油盐酱醋茶。”茶是与柴米油盐酱醋等并重的必备品——没了茶，那可不行！

在中国，人们会喝各种不同类型的茶。最流行的是绿茶，它是将新鲜采摘的茶叶炒干后制作而成，茶汤呈浅绿色。绿茶可以消暑解乏，适合春夏饮用。也有很多人喜欢喝红茶。红茶经过了发酵工序，茶汤色泽红亮、味道浓厚，适合秋冬两季饮用。

在茶馆和茶庄，你可以体验中国的茶道，品尝各种口味的茶汤，并了解一些与茶有关的有趣知识。每种茶的泡制方法都有所不同，茶的口味取决于水的温度、冲泡时间和所用到的茶具。某些品种的茶，第一遍茶汤会被倒进茶盘或淋到茶盘中的茶宠上，中国人称这一道工序为“洗茶”。从第二泡开始，中国人才会饮用。泡好的茶用小盏饮用，最优雅的是分三口喝完。一口为尝，二口为喝，三口为品。最棒的是，饮茶时，身旁有一位典雅端庄的茶道师将这些门道一一道来。

中国茶叶品种繁多，让人眼花缭乱！除了绿茶和红茶，还有乌龙茶、黄茶和白茶，以及仅用花瓣和嫩芽叶制成的各种花茶，比如茉莉花茶、玫瑰花茶和菊花茶等。许多茶叶还拥有美丽而富有诗意的名字：碧螺春、铁观音、龙井、银针、雨花……你想尝试哪种茶呢?

阴阳

通过观察宇宙和万物，中国古代的哲学家们认为，一切事物都可以划分为两类，也就是阴和阳：月为阴，日为阳；水为阴，火为阳；衰老为阴，勃发为阳……这样的例子还能举出很多对儿，比如盈缺、酸甜、冷暖等。但阴和阳往往一起出现，就好比如果不与一个小的东西比较，就很难判定另一个东西是大的。

阴阳是一种朴素而又博大的哲学思想，是古代中国人对于自然界客观规律的一种洞察，对中国文化的方方面面都产生了十分深远的影响。

中国的先贤还注意到，阴与阳可以互相转化。当我们观察一座山时，我们说阴是山坡背阴的一面，而阳则是向着太阳的一面。而随着太阳的移动，原本向阳的一面也会落下阴影，原本处在阴影中的一面也会面向阳光。阴化为阳，就像夜晚被白昼代替。火焰燃起就会熄灭，而所有此刻活着的生灵，最终都将逝去。

阴阳共生的理念通过太极图展现出来。太极图是用一条S形曲线，将一个圆分为镜面对称的两个相等部分。黑色的一半为阴，当中含有一点白色的阳；白色的一半为阳，其中也含有一点黑色的阴。这诠释了一个理想的状态，即相对的两方互相制约、相互补充的平衡状态。

阴阳平衡的理念是中国饮食、中医、武术以及风水学说的基础，直到今天也深深地影响着中国人生活的方方面面。

推拿、针灸和草药

每个人都想要拥有健康，根据中医养生理论，要想保持健康，就必须用平衡的方式生活，因为只有阴和阳平衡共存，生命之源——气，才会畅通无阻地在全身上下流动。

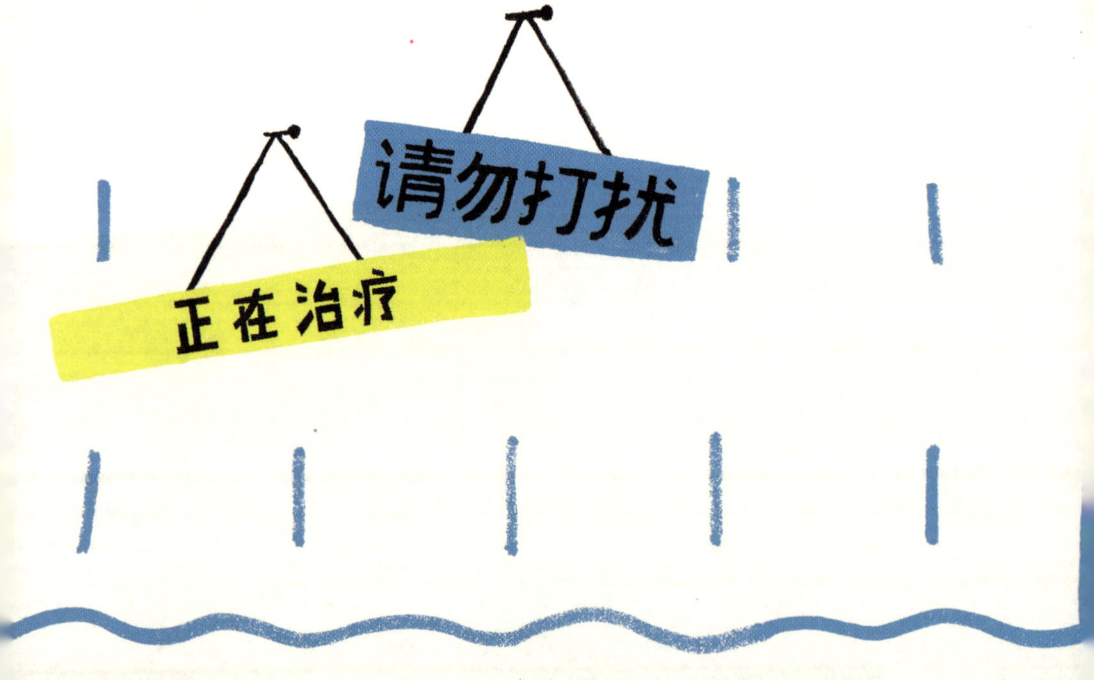

中国人十分注重养生，喜欢健身，也会去做推拿，但最看重的还是饮食，认为疾病和食物进入身体的途径都是一样的，即病从口入。中国人认为可以通过适当的食物搭配，改善身体状况，因此，食疗在今天也很受推崇！

中国人的食谱根据节令而定，夏天要吃清凉滋润的食物，冬天则进食温热滋补的食物。

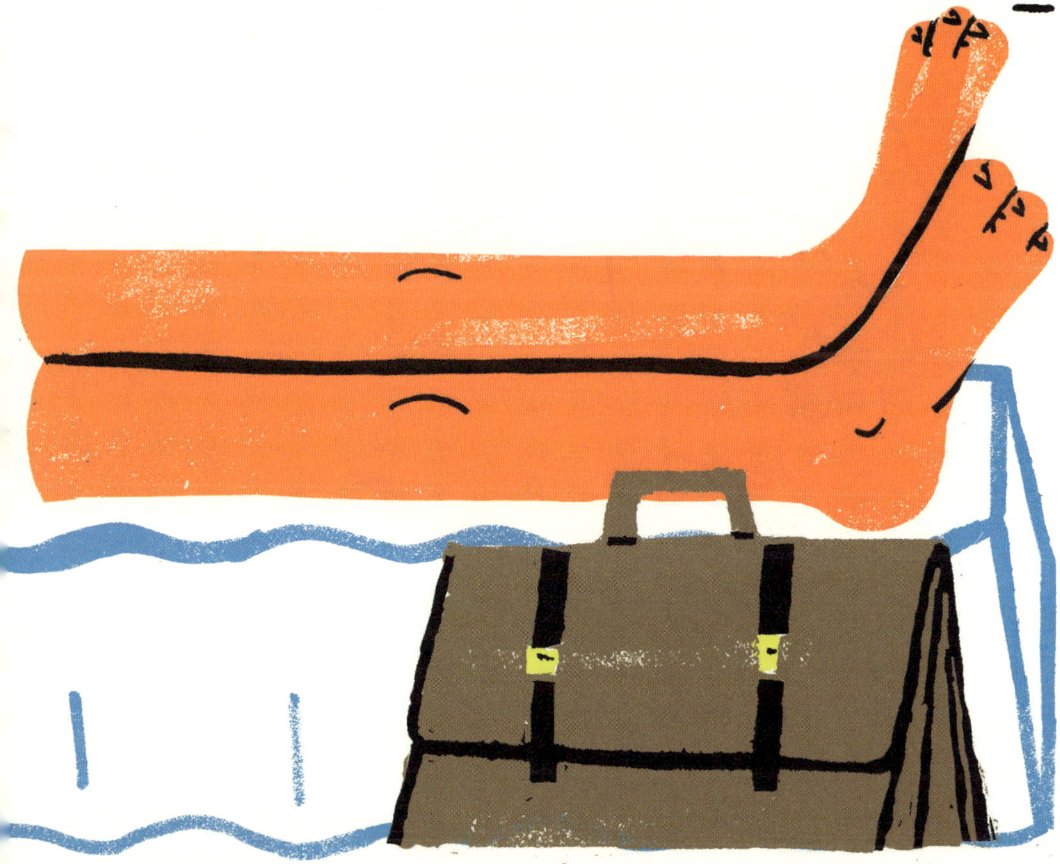

如果生病了，中国人会调整自己的饮食习惯。此外，有许多人，特别是老年人，平日还会打太极拳、跳广场舞，以便能量在体内更好地循环。而中国的推拿则有助于缓解多种疾病，改善身体状况。

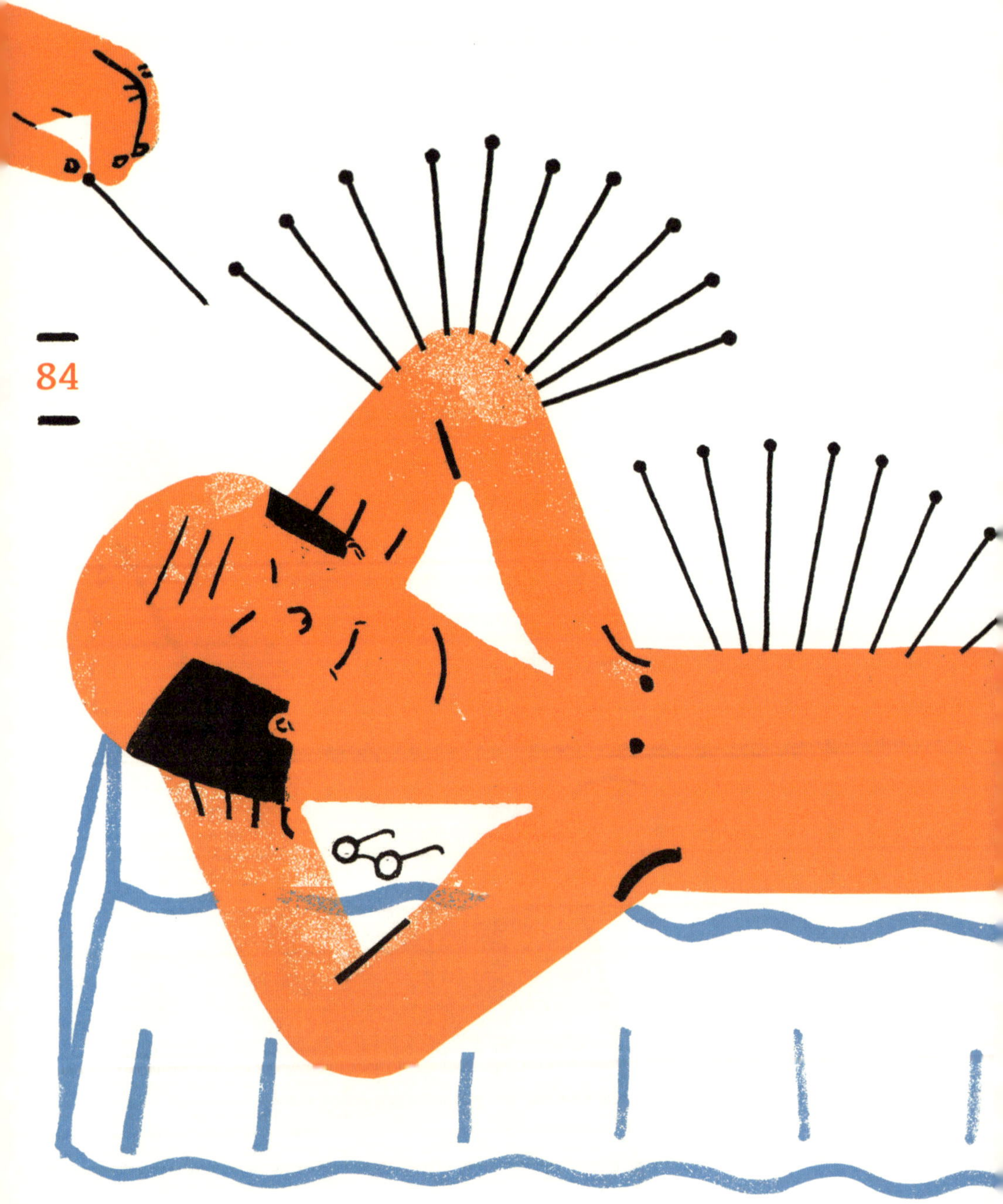

刮痧也是一种中医疗法，即借助骨梳、牛角来刮划身体相应的部位，使皮肤局部出痧，从而达到活血透痧的效果。足部按摩也很流行，是人们在疲惫乏力时候的不二选择。虽然只是按摩了足底，但效用却可以遍及全身。

中国人认为，生病是因为体内平衡得不到维持，气不能自由通畅地沿着体内经脉流动，生病时还会感到身体酸痛。在这种情况下，针灸可以发挥作用。这是中国人发明的特殊疗法，即用针刺入皮肤上相应的点，也就是病症对应的各个穴位上。

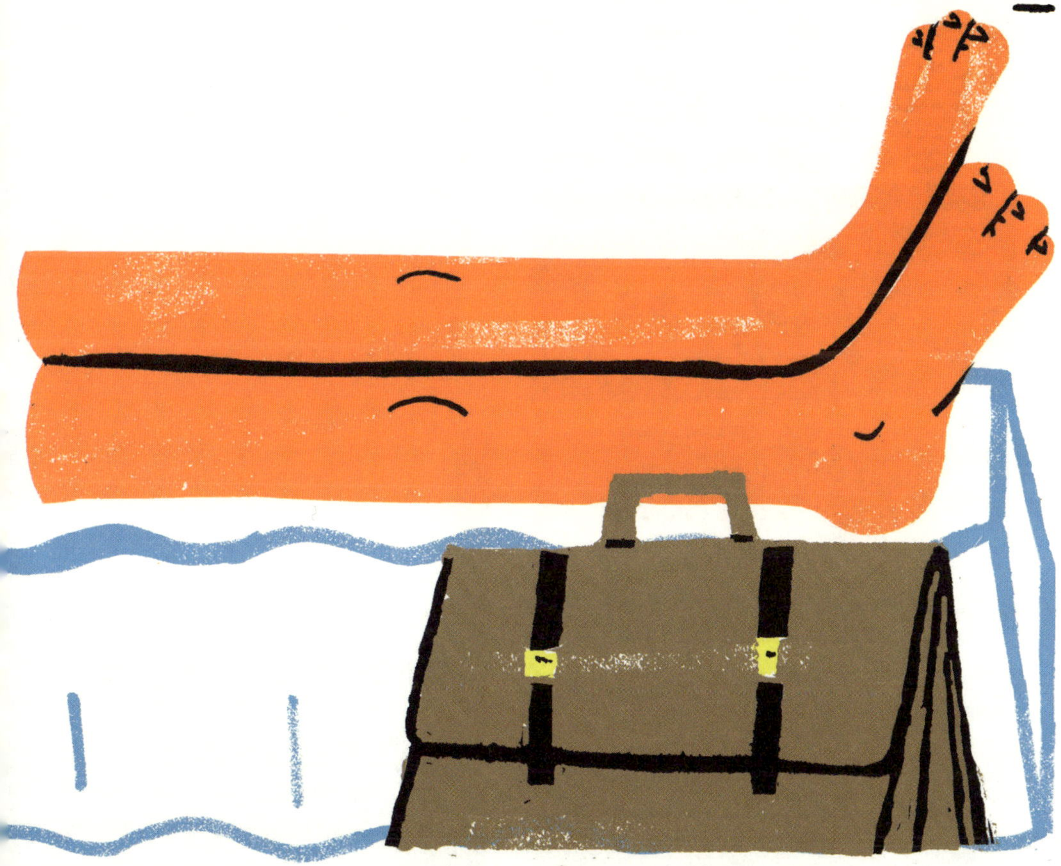

最著名的一味中药材当属人参，它的字面意思就是“人之根”或者“人形根”。中国人认为这是治愈疾病的良药，对虚弱乏力、缺少元气的病人格外有效。据说，人参可以改善记忆力和专注力、调节心脏功能、增强抵抗力，还能延缓衰老呢。

中医大夫怎么给病人看病呢？首先要诊脉，病人将手腕搭在诊脉台上，大夫用手轻轻按压病人的动脉，这是在检查病人的脉象；接着，大夫会观察病人的皮肤、双眼，有时也会让病人伸出舌头；此外大夫还会倾听病人的气息，询问他们的病情，这就是中医上所讲的“望闻问切”。然后大夫会提笔写下药方，病人就可以拿着方子去药铺抓药了。药铺里有几十上百个小抽屉，分门别类收藏着各种各样的药材：草药、矿物类、昆虫类，等等。

血缘、家族与家庭

人一出生就有爸爸妈妈，这是天然的血缘关系，称呼也比较简单。但接下来可就复杂了。“爷爷”是爸爸的爸爸，而妈妈的爸爸叫“姥爷”或“外公”。在中国，血缘关系显得尤为重要，汉语里用很多不同的词语来表示一个大家庭中每个成员的身份，比如：“伯伯”是爸爸的哥哥，“叔叔”是爸爸的弟弟；“舅舅”是妈妈的兄弟，“姨妈”是妈妈的姐妹；而“舅妈”是指妈妈的兄弟的妻子，“姑父”是指爸爸的姐妹的丈夫……

不要以为只有长辈的称呼才这么复杂！家中年长的女孩叫“姐姐”，年幼的女孩叫“妹妹”，而伯伯、叔叔家的女孩则相应地称为堂姐、堂妹；舅舅、姨妈、姑妈家的女孩称为表姐、表妹。而“兄弟”之间的关系，也有哥哥和弟弟、堂哥和堂弟、表哥和表弟之分。不同的称谓可以清楚地表明你和亲戚之间的关系，也是讲礼貌的表现，尤其是与亲戚碰面时，孩子们要恭敬地喊对方伯伯、姨妈等相应的称呼。而对于家族以外的人，如果跟爸爸妈妈年纪相仿，孩子们就会称之为“叔叔”或者“阿姨”，表示亲切和尊重。

进行自我介绍的时候，中国人喜欢介绍自己姓名的来历。姓来自家族，放在名前，而名通常在孩子出生时由父母或家中其他长辈来取。

中国的姓氏众多，最常见的有李、王、张、刘等；也有一些姓来源于动物名称，比如龙、熊；还有一些不太常见的复姓，比如欧阳、司马、令狐，令人印象深刻。孩子的名字一般别有深意，爸爸妈妈会把自己美好的愿望寄托其中，而且还希望名字听起来很特别，因此起名时往往需要翻字典、查诗词，反复地筛选、斟酌。中国人的名字，通常有丰富的含义。比如“海征”的意思是“大海的征服者”，而“莉莉”则代表美丽的茉莉花，“大海的征服者”和“茉莉花小姐”在学校里可能是同桌，想想真是一件有趣的事。

中国的孩子一出生还会得到一个“乳名”，这是孩子小的时候，家里亲人唤的名字。过去，父母会给自家宝贝取“狗蛋”或者“狗剩”这样的乳名，据说这样可以帮助孩子躲避灾苦，健康长大。

当中国人希望跟别人更亲切地谈话时，会在对方的姓氏前面加上“小”或者“老”。如果上了年纪却并不老的人突然被称为“老张”“老刘”，你可不要惊讶，这是为了表达尊敬，赞美对方更有经验，更有智慧。

尊重老人，孝敬父母，在中国非常重要，这被称为“孝道”。哪怕已经成家立业，中国人也愿意多花时间陪伴父母。在公园里时常能见到女儿牵着妈妈的手散步，因为她们的感情十分深厚！孩子们从小就知道，他们有责任照顾父母，让他们安度晚年。

花木兰的故事正是关于孝道的。花木兰是一个女扮男装代父从军的女孩。在古代战争期间，皇帝要求每个家庭都派出一个人参军。花木兰的弟弟还很小，家中唯一的成年男丁就是她年迈的父亲。为了老父亲免受征战之苦，木兰于是秘密地改换衣装，奔赴沙场，最后成了一名优秀的军官。

长寿面

中国人（特别是老人）庆祝生日时有一个传统，生日这天最重要的不是插满了蜡烛的蛋糕，而是一碗面条！过生日时要吃的面条很长，而且是越长越好，因为这象征着健康长寿。因此，这碗面条被称作“长寿面”。最好的长寿面是把一根面条堆满一整碗，把它吸到嘴里时，难免会发出“刺溜刺溜”的声音。据说长寿面不能被夹断或者咬断——最好不要冒这个险，毕竟跟寿命相关。

中国人在为家中老人庆祝生日时，通常场面会非常盛大，比如六十大寿、七十大寿，八十、九十大寿就更为隆重啦。有些长寿老人还会过百岁生日，如果是在乡村的话，这通常会是村子里所有人共同的大事。如果亲人们不能赶回来给寿星庆生，也会在远方遥寄一份祝福。

对中国孩子来说，周岁的生日可以说是非常重要的。这一天，家人会在孩子面前摆上各种东西，然后紧张地观察，看孩子对哪一样感兴趣。这是对他接下来一生的预测，叫作“抓周”。选择了飞机的小孩儿，可能会成为工程师或者旅行家；对计算器感兴趣的也许是未来的商人或会计；被听诊器吸引的可能是未来的医生；而选择书本，则可能成为作家或者学者。

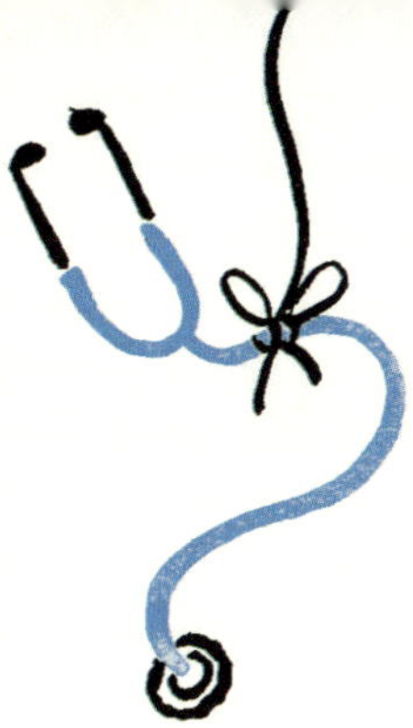

中国人怎样送礼呢？参加婚礼的时候，亲戚朋友通常要送出装着钱的红包，就像过年时发压岁钱一样。有些节日有专门的礼物，比如端午节要送粽子，中秋节要送月饼。不过要记住，送礼的时候不要送钟表、伞或者鞋子。另外中国人也忌讳数字“四”，因为“四”与“死”谐音，有些地方的楼房没有第四层（实际上是有第四层的，只是被称为第五层，而后是第六、七层……）。

在盛大的节日里，比如春节时，礼物最好用红色或者金色的彩纸包装，因为人们相信这两种颜色会带来幸福和好运。中国人通常不会当着送礼人的面拆开礼物，这样就避免了你后来发现并不喜欢这个礼物，而要在人前装作喜欢的样子。收到礼物的人通常会真心地表示感谢，而回礼也是非常普遍的。

黑白团子

白色的大脑袋，一对八字形黑眼圈，表情有点儿懵懂，这是什么动物呢？没错，这就是大熊猫，中国特有的国宝级动物。大熊猫憨态可掬，人人都爱，这到底是为什么呢？大概是因为它们看起来像人类的婴孩——头圆圆的，大大的，黑眼圈让眼睛显得大得出奇；而且大熊猫一般坐着吃饭，用爪子抓着食物送到嘴里，跟人类一样优雅。

中国人十分喜爱大熊猫，将其视为国宝。大熊猫在地球上生活了至少 100 万年，它们标准的中文名称其实叫“猫熊”，意即“像猫一样的熊”。同时，大熊猫也是世界野生动物协会的会标形象。

大熊猫栖息在山区的树林中，最爱竹林。它们有些笨拙和懒散，移动非常缓慢，以免消耗过多能量。大多数时间它们都用来寻找食物——每天甚至要花上 16 个小时。尽管属于食肉目熊科，但它们更喜欢吃素。另外，它们每天进食几十次，但只能消化吃下去食物中的一小部分，绝大部分都变成了排泄物，这就是为什么它们食量大得惊人。

对大熊猫来说，最美味的莫过于幼嫩的竹笋。一只成年大熊猫每天能吃掉 30 千克的竹子。当它们找到一片竹林时，有时会把竹子折断，前掌上多出来的第六根手指则起着“大拇指”的作用，让大熊猫的手掌和人的手一样灵活，之后大熊猫就可以大口大口地吃竹子啦！

目前世界上只有超过两千只大熊猫，大部分生活在中国。尽管它们的受威胁程度从“濒危”变为“易危”了，但仍然数量稀少。为了保护这一物种，中国人在四川、陕西、甘肃创建了很多自然保护区，大多数位于四川省。四川卧龙自然保护区是世界上最大的大熊猫自然保护区。现在，你可以不必去自然保护区就能看到大熊猫了：成都的大熊猫研究中心安装有 28 台高清摄像头，用于追踪在那里生活的大熊猫的一举一动，你只需轻点鼠标，就可以在互联网上观察它们。

大熊猫妈妈的怀孕时间有四五个月长，刚出生的大熊猫宝宝皮肤是粉红色的，带有稀疏的白毛，眼睛也看不见东西。它们最长只有 15 厘米，体重不超过一只苹果，会喝母乳（一天甚至要吃 14 次），半岁之后开始吃竹笋，并开始独立生活。两岁时，它们的体重会迅速增长 900 倍！大熊猫的寿命一般为 20 至 30 年。

古老的北京城

中国的首都北京，是一座特大城市，入眼满是现代化的高楼大厦，笔直宽阔的街道上行驶着成千上万辆的汽车。在城市中心区之外（已经有了六环），新的住宅区仍在不断建设着。而从地图上看，城市的中心始终是天安门广场。这是世界上最大的城市广场，可以容纳 100 万人举行集会。广场北面坐落着紫禁城。今天的人们很难相信，仅仅 100 多年前，紫禁城的城墙边还可以看到一队队的骆驼商队来来往往，直通大漠。

北京，从字面上看就是“北方之都”的意思，因为这座城市位于中国的北方。这一名字是明朝永乐皇帝在 15 世纪初迁都来此时御赐的名字。除了北京之外，南京、西安、开封和杭州等城市也都曾作为古代中国的都城。

北京从不缺少名胜古迹，很多都是皇家下旨修建的，比如故宫、颐和园、天坛、孔庙……紧挨着它们，还有很多21世纪的全新建筑，比如形似巨大飞碟的国家大剧院，外表闪着熠熠银光，轻盈地漂浮在水面上，周围环绕着公园和博物馆。北京有太多可以参观游览的地方了！你可以花点儿时间逛逛胡同，或者泛舟在北海、后海上。夏天，不少人在湖上划船，或者在周围的公园里休息、散步、玩牌和打太极。老人用巨大的地书笔蘸水，在公园的地上练习书法。另一些则神乎其神地舞动中式悠悠球——空竹。冬天，后海整个儿被厚厚的冰层覆盖，父母带着孩子来这里滑冰，或者乘坐各种可爱的冰橇。你可以在这里租一辆冰上自行车，或者一架在手杖的帮助下前进的冰橇。

逛完了名胜古迹，肚子肯定饿了吧？除了闻名中外的北京烤鸭、炸酱面，你还可以品尝一下豆汁、炒肝和卤煮火烧，这些北京小吃绝对可以挑战你的味蕾。

豆汁是用绿豆做的发酵饮品，有一股发馊的味道。炒肝和卤煮火烧，都以猪的内脏（比如大肠、猪肝、猪肺）为原料。但炒肝并不是炒的，而是一种滑溜溜、大部分是芡汁的煮制食物，卤煮火烧则是将火烧和炖好的猪肠、猪肺一起煮出来的食物。这三种小吃，口味比较奇特，外地人可能一下子难以适应，但北京人可是甘之如饴呢！你如果来北京，不妨尝一尝，感受一下北京的原汁原味。

被称为京巴的小型犬也来自北京，传说是由佛祖脚下的狮子变成的。过去人们认为，它们可以察觉到潜藏的恶鬼，并在危急时刻化作狮子保护自己的主人。难怪这是中国皇帝最喜欢的犬种！它们也被很多寺庙饲养，但过去的几个世纪里，它们曾经只属于紫禁城的主人。

紫禁城

600 年来，中国的皇帝都住在紫禁城里。紫禁城自 1406 年开始修建，14 年后，他的第一位住户明永乐皇帝入住这里。为什么叫“紫禁城”呢？依照中国古代星象学说，紫微垣（即北极星）位于中天，乃天帝所居，对应到人间，应该是皇帝的居所。“禁”，是说这里规矩森严，而平民百姓是被禁止靠近的。那么，为什么又说这是一座“城”呢？因为它包含了近千座亭台楼阁，其中最重要的有太和殿、乾清宫、养心殿、永寿宫等。

紫禁城是世界上最大的宫殿建筑群，占地约 72 万平方米，相传有 9000 多间屋子。这里还有皇帝阅兵的广场，以及休憩游玩的花园。如果每晚睡一间屋子，睡遍所有屋子需要将近 25 年！当然，皇帝不是一个人住在紫禁城里，他责任重大，也不会让自己的日子无聊。陪伴他住在这里的有皇后、御厨、御医、宦官、妃子、宫女、侍卫等，毕竟，总得有人来执行皇帝的命令，照顾他的饮食起居，以及打扫这些宫殿呀！

100 多年前，中国废除了帝制，再也没有皇帝这个“职业”了。规模宏大的紫禁城也不再像过去那样，只属于皇家，而是成为大家的“故宫博物院”，只需花上几十块钱买张门票，就可以进入参观。这座宽敞的博物馆不仅展示了紫禁城的建筑，还原了过去皇帝生活起居的部分场景，而且辟出专门的场馆展览中国古代的书画、瓷器、佛像、玉器等文物；博物馆的工作

人员，不仅要维护好这座大宫殿，还要对珍贵文物进行修复、保护和管理。现在，来自全世界的游客都会来到故宫参观，他们有着不同的肤色，操着不同的语言，共同感受着中华文明的魅力。

古代的考试

中国人非常尊重智者。在古代，中国人认为有智慧的人可以很好地管理国家。当欧洲流行骑士文化、日本盛行武士精神的时候，中国则选拔学识渊博的大臣作为国家大事的决策者。

想要入朝为官并不容易！最关键的是要通过困难重重的科举考试。考生必须根据特定的题目写出文章，有时候还要写诗。备考过程常常会持续很多年，称为“十年寒窗”，一心向学的孩子甚至从三岁起就开蒙读书了。读书过程漫长而艰苦，古代有人“头悬梁，锥刺股”，就是把头发系在房梁上，用锥子刺痛大腿才能提神坚持读书。

科举考试的过程并不轻松，考生要参加乡试、会试、殿试，才能被选拔出来由国家任用。考试非常严格，比如乡试会持续整整三天，考生被关在考场中特定的小隔间里（在北京孔庙旁的国子监里可以看到小隔间的复原场景）。如此一来，考官就可以放心，在考试中不会有人夹带藏私，抄袭作弊。

考试过程中，任何人都不能离开自己的位置，哪怕是一时半刻。除了笔墨之外，考生还必须带上干粮、被褥，甚至是夜壶。所以，科举考试是一种比较公平的人才选拔制度，源源不断地为国家提供栋梁之材。

不幸的是，能够通过科举考试的从来都是少数人，有的人中举以后大喜过望乃至高兴得昏了头、发了疯，就像那个著名的“范进中举”的故事一样。而另外有一小部分人的才华在考试中发挥不出来，这些愤懑的才子转而在中国文学、艺术史上，而不是官场上大放异彩，比如明代的文学家、画家唐伯虎。

胡同

北京的中心城区，大街小巷布满了早年修建的灰墙灰瓦的房屋。这就是胡同，也是老北京人居住生活的地方。胡同通常十分狭窄，汽车很难开进去，有时候甚至得把后视镜折叠起来。因此在胡同里最好是步行、骑自行车或者电动车。

胡同通常离闹市很近，但却隔绝了外面车水马龙的喧嚣，可谓闹中取静。晚上，人们纷纷从家里出来，聚在胡同口喝茶，跟邻居们聊天。很多人更喜欢这样的生活，胡同里街坊邻居都相互认识，而且各项服务都很便利，点心店、小卖部、修车摊、剃头师傅、医院等一应俱全，就像一个微型小镇。夏天，这里蝉鸣阵阵。有的人还喜欢蝈蝈的鸣叫声，会把它们装进竹编的小笼子里随身带着。

胡同里的房子算不上太舒适，但每个人在这里都可以找到想要的生活气息。石狮子守护在朱红色的大门前，门内有一块照壁，里面是个小院落，各间屋子就在其中。这种院子被中国人称为“四合院”。几进房屋、小院前后相连，一座大宅子就落成了。紫禁城正是依据这个样式建成的。

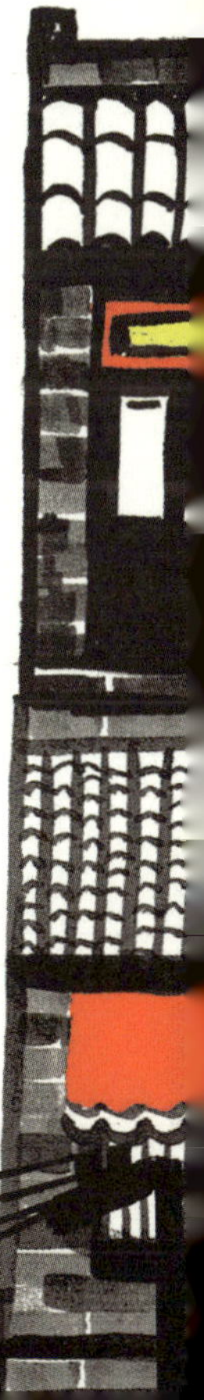

胡同里有老北京的气息，正因如此，今天的胡同已经成为北京的一大特色景点。你可以去那儿散步，信步走进茶馆或者饭店，或者在各种小店中把玩传统的手工艺品。这里也可以买到中国风的纪念品，比如茶杯、扇子、油纸伞以及传统的布鞋（还可以讨价还价！）。

北京最著名的胡同是南锣鼓巷，人们常说那里人山人海，因为游客实在是太多了。不过只要拐进小巷，走上几十步，就足以感受到老北京的魅力了：穿梭在一排排灰色的房子中，聆听着蝉鸣声和自行车清脆的铃铛声。

四大发明

在海上航行时，当周围都是一望无垠的大海，要怎样确定方向和航线呢？没有火药，世界也许会变得更美好，但我们也就没有鞭炮和烟花了。没有造纸术和印刷术，就没有你正在阅读的这本书。

指南针、火药、造纸术、印刷术，这四种发明对整个世界的文明发展产生了重大的影响，是古代中国人智慧的结晶，因此又被称作“四大发明”。

大

指南针

最早的指南针被称作“司南”，它的形状很有趣，就像是一只躺在盘子上的大勺子。勺子用磁石制成，盘子上刻有不同的标记。

转动勺子，当它最终停下时，勺柄所指的方向就是南方。司南最初出现时被用于占卜，古代中国人在祭祀、礼仪和军事中会用到它。占卜师会观察勺子的运动，做出解读。

后来的指南针模样也很有趣，指针是泡在水中的，最早的指针呈鱼形，之后被替换成类似现代指南针的指针样式。

罗盘的出现，则让磁针的指向更加精确。中国的指南针传到西方，给全人类的文明进程带来重大的影响。中国人从 11 世纪时就开始使用指南针来确定航行方向。而在欧洲和阿拉伯世界，这种装置则出现在 100 年后。

火药

火药是中国古代炼丹师（方士）发明的，它的出现也是一场意外。据说，方士们在试图炼制长生不老药的时候，发现硫黄、木炭和硝石混合后会发生剧烈爆炸。起初，方士们对火药并不

感兴趣，因为它既不能使人长生不老，又容易爆炸。但火药的配方到了军事家手中，情况发生了变化。后来人们借助火药发明了很多武器，开始制造火炮、炸药等，并发现枪支弹药要比刀枪剑戟的威力大得多。

造纸术

根据中国史书记载，造纸术是由一位名叫蔡伦的官员在公元 105 年改良成功的。蔡伦长期用树皮、破布、麻头和破渔网等做实验，最终发明了一种可以大规模制造的纸张，并掌握了它脱水干燥的方法。皇帝对他的成果大为赞赏。

传统的中国纸张轻薄耐用，可以用于书法和绘画，还可以用来制作灯笼、风筝和油纸伞等。

造纸术最初从中国传到了邻近的国家，比如朝鲜、越南、日本等。欧洲人是通过阿拉伯人了解造纸术的，得益于阿拉伯人在意大利和西班牙设立的造纸厂，纸张逐渐在欧洲盛行起来。

蔡伦发明的纸张取材方便、价格低廉、结实耐用，人们为了纪念他，将这种纸称为“蔡侯纸”。可以说纸张的发明，推动了整个世界文化的发展。

印刷术

在中国的庙宇和殿堂中，你可以看到一些巨大的石碑，上面镌刻有铭文，古代皇帝通过这种方式发布和保存他的旨意。当旨意需要被送到某个地方时，就制作一份碑文的拓本。在石碑上敷上一张纸，用水打湿，一点一点用蘸有墨汁的扑包（用白布或绸缎包裹棉花和油纸做成）压按。墨汁只给石碑上凸起的地方上色，而雕刻了字迹的地方仍然是白色的。这种碑帖传拓是比较古老而简单的“印刷术”。

印章的原理与此相似，有阳文（字迹突出）和阴文（字迹凹陷）两种。在中国，印章已经使用了两千多年，被用来确定文件的真实性。每一位大臣都有一方刻着自己官衔名称的官印，把它看得比命还重，因为一旦弄丢了官印，他就会失去下达命令的权力，可能会被革职。

但碑帖传拓和印章难以大规模应用，都不是真正的印刷术。

我好想去旅行

中国现存最早的印刷品，是唐朝印制的《金刚经》，使用的是一种叫作“雕版印刷”的技术：先在梓木上雕刻凸出要印刷的内容，称为“版”；然后刷墨，用纸压覆印刷。梓木是一种质地坚硬、用于雕版的木材，雕版是这种技术的核心工序，所以图书的出版印刷，也称为“付梓”。后来，北宋的毕昇发

明了活字印刷术，不仅节省物料，而且效率很高。活字是用胶泥制作的，排版时用松脂蜡集聚在一起，印刷完毕后可熔化分离，再次排列使用。

我们现在使用的书籍，是用现代技术印刷的，跟过去有很大的不同。但是在中国的杨家埠、杨柳青、桃花坞等地，仍然用雕版技术制作传统年画，已被列入国家级非物质文化遗产名录。许多博物馆还有制作碑帖传拓、印章和雕版年画的体验活动。

其他有趣的发明

钱币

在中国，早期的钱币使用比较混乱，有布币、刀币等，秦始皇统一六国后，全国开始使用圆形方孔的铜钱，并一直沿用到清朝。古丝绸之路沿途并不安定，商人们像戴项链和手镯一样，把钱币吊成串挂在自己身上。今天，这些古老的中国钱币成为装饰图案的一种，被认为可以吸引财富。

纸币在中国流通的历史可以追溯到公元11世纪，当时称作“交子”，而欧洲直到600年后银行才开始使用钞票。中国也是最早开始使用纸币的国家。

中国算盘

中国算盘是世界上古老的计算用具，直到今天仍在使用。现存的算盘形状不一，材质各异（多为木制）。算盘被一条横梁分成了上下两部分，贯通上下两部分的直柱叫“档”，每根档上有七枚算珠，两枚在横梁之上，五枚在其下方，只有被拨到横梁上的珠子才被计数。

注意！从右往左第一根档上，横梁下的算珠每一颗代表 1，第二档上每颗珠子代表 10，第三档 100，第四档 1000，以此类推。而横梁上方的珠子，第一档上每颗代表 5，第二档代表

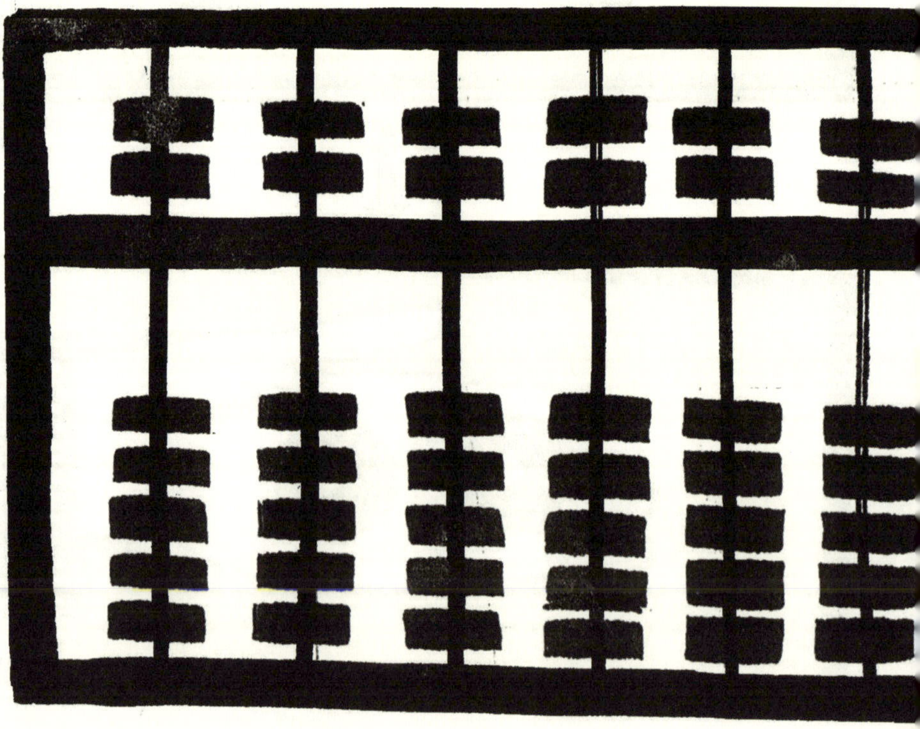

50，第三档是 500。比如说，两颗一档上方的珠子就是 10。当我们进行非常复杂的计算时，可以把它替换成二档下方的一颗珠子。有时候我们需要用到不同数值的珠子，比如我们怎么表示 7 呢？只要把一档上方的一颗珠子和下方的两颗珠子拨到横梁上就可以了。

在这样的算盘上不仅可以进行加减运算，还可以做乘除法，甚至是求根开方！有人曾说，中国的算盘就是一台可靠的小型计算器，不仅完全不耗能，还能经久耐用。

瓷器

茶杯、菜盘、饭碗、花瓶……瓷器在中国人的生活中必不可少。瓷器不仅仅是日常生活用品，更是中国的代名词，在英语中，瓷器（china）和中国（China）同名！

瓷器是中国人发明的艺术品，是从陶器发展演变而成的，由含有一定比例矿物质的特殊黏土（高岭土）在极高温度下烧

制而成，成品紧实、色泽光亮、优雅美观。

中国人将瓷器烧制的工艺视为不传之秘，一直将这个秘密保守到 18 世纪。因此，在很长一段时间里，瓷器是非常昂贵的奢侈品，甚至被称作“白金”！每个时代的瓷器都具有独特的造型、图案和颜色，其中官窑制品又比民窑更精致讲究，千百年来深受人们喜爱。

海上的上海

摩天大楼映照着千年古刹，车水马龙的街市连接种满梧桐树的老街巷，岸边的外滩转弯就是石库门居民区。这就是上海——世界大都市之一，也是中国最为现代化的城市之一。

上海位于长江入海口，它的名字就是“在海上”的意思。很多年前，这里只是一个小小的渔村，后来不断发展，而今这里已经拥有了超过 2400 万常住居民。上海是一个大型贸易中心，也是世界著名港口。这里是上海证券交易所的所在地，也坐落着中国最高的建筑——总高达 632 米的上海中心大厦。

上海旅游巴士

上海市被黄浦江一分为二，江上有游船和轮渡往来穿梭。“黄浦夜航”是城市的主要风景之一，在黄浦江畔的摩天大楼背景下，一定要拍照留念哦。

从浦东机场到上海市中心，可以乘坐磁悬浮列车。这是世界上最长的磁悬浮列车线路，全长约 30 千米。飞驰的列车在强磁场的作用下悬浮于地面，最高可以加速到 430 千米每小时，能够在 8 分钟之内行驶完全程。

饱览浦东景色的最佳地点在外滩。这里欧式建筑林立，100 多年前，上海已经成为繁华的大都市，吸引了众多外国商人、银行家和企业家。随之而来的还有现代化的银行、百货商店等，形成了海派的建筑风格。

晚上，人们在外滩散步游玩，欣赏黄浦江边的美景，高楼林立，霓虹闪烁。此时的浦东看起来就像是一座耸立的太空岛，巨大的东方明珠电视塔每隔几分钟就会变换色彩，所以有些人觉得它是红色，有些人说是绿色，还有人说是紫色的。

行走在上海街头，就好像在全中国游览了一番，因为大部分街道都是以中国各省市的名字来命名的，其中最著名的一条当属南京路，那里商店鳞次栉比，游人如织。

兵马俑

1974 年，西安市郊一个村子里的农民在挖井的时候，从地底下挖出了一些陶俑的残片，这究竟是什么呢？考古学家很快开始了考古发掘工作。猜猜他们发现了什么？数以千计的陶俑士兵列阵分布在三个地下洞穴中，有弓手、弩手、步兵和骑兵，居然还有套着马匹的木马车——一整支用陶土制成的军队！

部分俑像今天可以在秦始皇兵马俑博物馆里看到。第一次发掘工作之后，人们就专门为兵马俑成立了这家博物馆。每一尊陶俑都接近两米高，重量可达 300 千克，更神奇的是，这些陶俑每一尊都是独一无二的。

一些俑像在出土时身上还有彩绘，但很快颜色就神秘消失。经过长期研究，人们才弄清楚，这些雕像在上色之前都被涂上了一层珍贵的清漆，在地下两千年不见天日，在重新接触到光线和空气之后快速氧化、分解为尘埃。

那么，这批陶俑大军是为谁而建，又是为何而建的呢？它们的主人是公元前 221 年灭六国而一统中国的秦始皇，他创立了大秦帝国。墓穴中的士兵守卫着始皇帝的陵寝，随时准备在他麾下待命——哪怕是在他去世以后。

大概，这位中国有史以来第一位皇帝最大的愿望，就是能够获得永生，因此他狂热地寻觅一种可以让人长生不老的灵药。方士们束手无策，经过长时间的炼制，他们为皇帝制作了一种丹药，其中包含着在他们看来最珍贵的物质——水银。今天我们知道，水银其实就是金属汞，服用的话对人体有毒。

秦始皇在登上皇位之后，就下令修建自己的巨大陵墓，以便在死后仍能统治自己的国家。传说，始皇陵的天花板上镶满了珍珠，闪烁如夜空中的繁星。陪葬品中有用青铜浇铸而成的

山川地图，石棺被水银河环绕。陵墓中布置有陷阱，弓弩从墙壁中伸出，因此谁也不能进到陵墓中来，打扰始皇帝的长眠。

150 万里长城

长城很长，绵延万里，气势磅礴！它在中国北方的崇山峻岭上蜿蜒起伏，仿佛一条巨龙的脊背。就像一条龙那样，长城甚至有自己的“龙头”——一般认为靠近渤海湾附近的“老龙头”是长城的起点，那里的城墙犹如龙首探入大海，弄涛舞浪。

当被问到长城有多长时，中国人一定会说“万里长城万里长”。中国的“里”有多长呢？在不同朝代，“里”的长度也不同，有时是300多米，有时是600多米。你一定也曾听说，万里长城是唯一能够在太空中看到的地表建筑。

尽管事实并非如此，但如果用长城上的城砖修建一道厚1米、高5米的长墙，这道墙足够环绕地球一周有余。在一些地方，它最高达14米，宽度可容纳四驾马车通行。每个曾领略过其雄壮的人——哪怕只是在照片中——都不得不承认，长城是渺小人类对抗自然的一次巨大的胜利。

古代中国人发明了一种聪明的警报系统，在长城上每隔一段距离就建有一座烽火台。烽火台白天施烟、夜晚点火，当某一座烽火台的士兵发现敌人的行踪时，就会在台中点燃烟火，而下一座烽火台的士兵看到后，就会继续传递下去。这样一来，敌军进犯的消息很快就会传到都城。

长城实际上由一段段城墙与烽火台、关隘相连而成。它不是一朝一夕修建而成的，而是历经许多个世纪。历代的中国统治者都会在已有的城墙基础上进行拓展。今天保存最完好的部分约有 8850 千米；但将各个朝代修建的不同部分加起来，共计长达 21000 多千米。长城充分利用地势，连接丘陵、河流，成为难以跨越的屏障。

长城原本是用来防御外敌入侵的，但有时也阻隔了长城内外的联系。千百年来，长城的存在给了中国人以安全感，是世界上最伟大的工程之一。

必须承认，早在好多个世纪以前，中国人就拥有了这样的气魄，像今天一样：计划、修建，然后将看似最不可能的想法付诸实现。

棋盘上的较量

中国人很喜欢在棋盘上打发时间，玩各种棋类游戏。最受欢迎的传统棋牌类游戏当属象棋（中国象棋）和围棋。在公园里和城市广场上，常常能看到一种带特殊桌板的小桌子，可以摊开来当棋盘使用。

象棋棋盘很容易辨识：当中有一条“楚河汉界”，把棋盘分为两个阵营，双方阵营的棋子分黑、红两色，最里面是指挥战争的“将”和“帅”，保护将帅的“士”“象（相）”“车”“马”“炮”“卒（兵）”征战四方，不同棋子的行走规则是不同的：马走日，象（相）走田，车走直路炮翻山，士护将边走斜口，小卒（兵）一去不回还。游戏的目的是消灭掉对方阵营的指挥官，也就是打掉“将”或者“帅”，打掉前一步，要口喊“将军”，一是为宣布自己马上就要胜利了，二是提醒对手赶紧想办法救主，否则游戏要结束了。

象棋的游戏规则不复杂，入门较为容易，公园里很容易见到一堆人围观两个人玩象棋。不过围观的人最好保持安静，最忌瞎指挥，扰乱下棋人的思路。

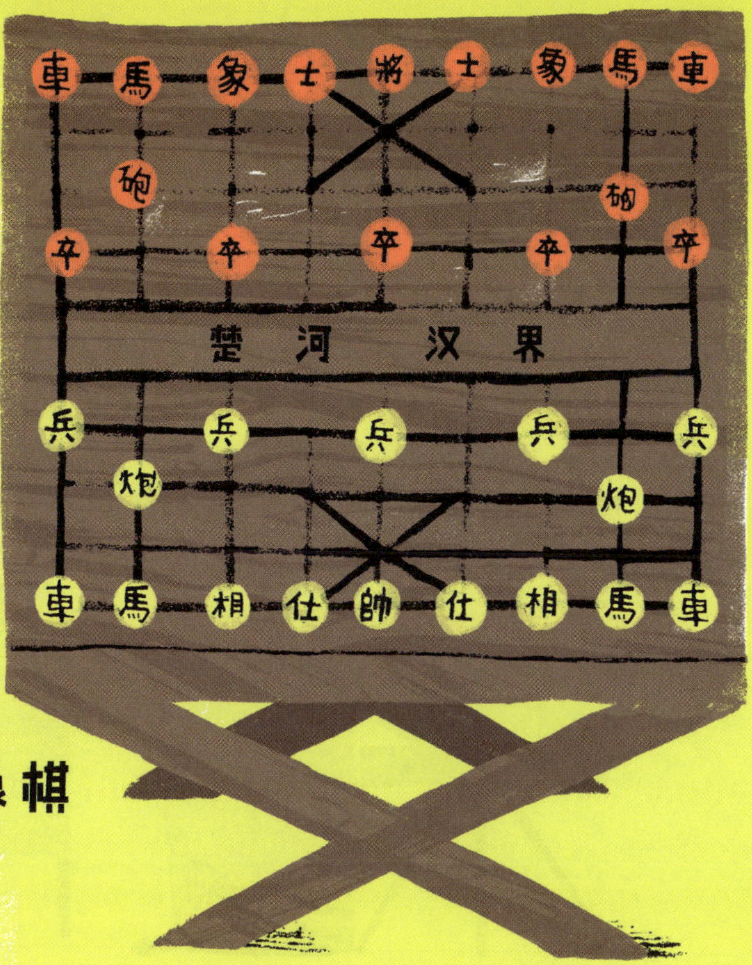

象棋

麻将

围棋

围棋也是中国古老的棋类之一。乍一看，这盘游戏似乎很简单：棋盘是四四方方的格子，棋子只有黑、白两色。但要知道，这可是人类发明的最难的游戏。两名棋手一人执白子，一人执黑子。双方交替把棋子放在棋盘上线条相交处。游戏的目的是尽可能多地占据领土，并阻止对手获得领地，“逼死”对方的棋子。做到这一点并不容易，需要谋略和远见。家长们为了锻

炼孩子的脑力，会把他们送进围棋学校。有的孩子成长为职业棋手，每年都会参加世界围棋大赛，中、日、韩是围棋的传统强国。围棋之复杂是世界公认的，科学家在研发人工智能机器人的时候，总是以下围棋的能力作为测试的尺度，从 20 多年前的“深蓝”计算机，到 2017 年打败世界强手柯洁的“阿尔法围棋”。但不管怎么说，发明围棋和人工智能的，仍然是人类。

晨练和广场舞

中国人非常重视健康，也喜欢锻炼身体。除了跑步、游戏、去健身房之外，他们还有自己独特的健身方式。

清晨，很多人喜欢打太极拳，他们认为这可以增强体魄和练“气”，也就是生命元气。练习太极的地方很好找，比如大树下的一片空地，通常是男女老少一大群人一起。多次重复特定的动作有助于集中精力，忘记日常琐事，对健康很有帮助。太极拳缓慢柔和的动作看起来很像电影中的慢动作，很适合修养身心。

到了傍晚，广场上又放起了音乐。附近居住的阿姨们都聚集到这里，她们喜欢在睡觉之前跳跳舞。虽然只是晚上的锻炼，但她们也常会郑重其事地做准备，就像是要去演出一样。

阿姨们有专门的服装和道具，还有人会配把扇子戴副手套，披上披肩和围巾，系上腰带。难怪总有人在周围看热闹。

有时候，也会有人想和阿姨们一起跳舞。如果她们朝你微笑，脚下舞步不停，那你就可以加入试试。当夜幕降临时，没有人会感到孤单。

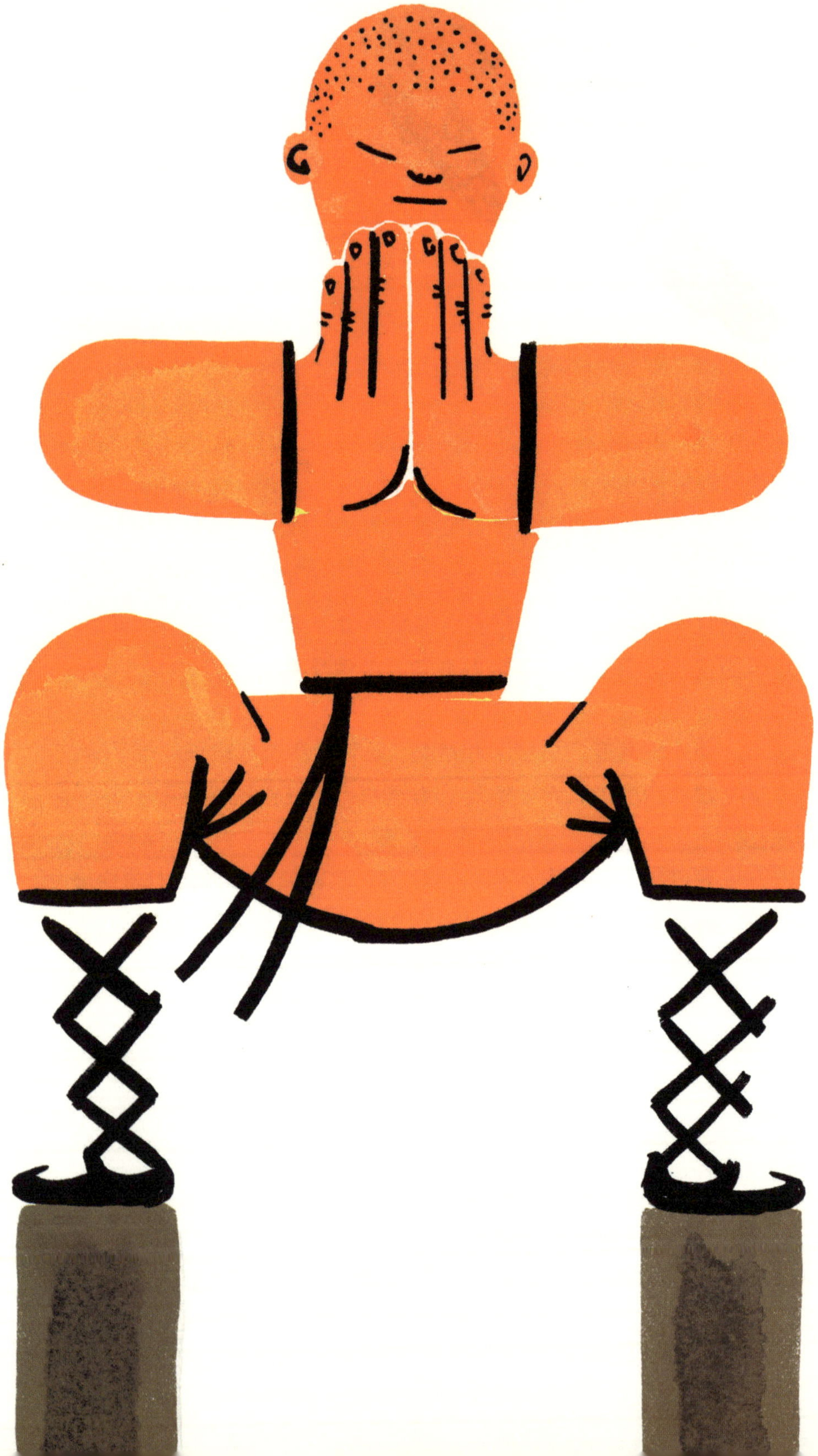

功夫还是武术？

对外国人来说，中国人的武术叫作“功夫”，这个词像“普通话”一样，已经成了具有中国味道的词汇。在中文中，“功夫”则指花费时间和精力后所获得的某方面的造诣、本领。

中国有很多种不同风格的武术，你可以在武术课上学习它们。有的武术注重锻炼肌肉，有的则使用诸如剑、棍等兵器。大概它们都有一个共同的源头，早期的练习都是模仿动物的活

动，比如学习动物行动时的流畅、快速和攻击时的精准，特别是仙鹤、猴子、鹿、熊和老虎。不久，中国人发现，不断重复的动作带来了额外的好处：让人更加专注，身体素质得到强化，并让身体始终保持良好状态。

关于中国武术，有许许多多的传说。据说古代习武之人能够飞檐走壁，躲避飞矢。他们的“气”是如此强大，以至于对手在很远之外就能够感受到他们的存在，望风而逃。

与武术有关的最著名的地方是位于河南嵩山的少林寺。相传这里曾经经常遭到袭击，僧人们无奈之下，只好学着自卫。通过艰苦训练，他们对疼痛、严寒和酷暑的承受能力都显著提高。随着武功高强的僧人们声名远扬，越来越多的人投师在少林门下，学习武功。

蜻蜓与龙，中国风筝

中国人早在春秋时期就发明了风筝，距今已有两千多年。在今天，放风筝是一项愉快的休闲活动，但在遥远的古代，中国士兵曾经用风筝来恫吓敌人，风筝的怪声使得敌军慌乱，从而大败敌军。有一些风筝（比如龙头蜈蚣），张大嘴巴还拖着长尾巴，分成很多节，确实有点儿吓人呢。

马可·波罗将风筝从中国带到了欧洲。今天山东的潍坊有一座风筝博物馆，收集了1000余种不同的风筝模型。每年这里都会举办风筝节，并选出风筝之王。

人们一般在公园和空旷的草地附近放风筝。最近几年非常流行的是那种闪闪发光的风筝！它们不但外观美丽，而且在漆黑的夜空中明明灭灭，显得十分神秘。

最早的风筝是简单的木结构，用丝绸或者纸张覆盖，形似飞鸟。随着时间的推移，人们开始用轻薄而有韧性的竹篾制作风筝骨架，而风筝形状也越来越多样。

中国风筝常常呈现动物的外形，有时是狩猎的苍鹰，有时是金鱼、燕子、蝴蝶或者蜻蜓。有些是硬质的，也有些柔软飘逸。有些风筝的身长可以超过一米，起飞和降落时气势惊人。每一架风筝都很漂亮。直到今天，还有很多风筝是用传统工艺扎出来的，也诞生了很多新的样式。唯一限制创作者想象力的是，风筝必须是对称结构的，否则就飞不起来了。

丝绸之路

丝绸是不同寻常的纺织品，它光滑、细腻，最重要的是轻薄。一手可以抓起好多条丝巾，一个不大的盒子也可以装进许多条丝绸裙子。丝绸冬暖夏凉，穿着舒适，可以经历数代人而不褪色。

丝绸出现于五六千年前，相传，它是由黄帝的妻子嫘祖发明的。嫘祖在桑树上发现了神秘的茧，就将茧当作果子收集到竹篓中，回家后放在锅里煮。茧受热变软，翻搅蚕茧的小木棍上带出许多坚韧闪亮的细丝。嫘祖拉啊拉，丝线越拉越长。她想到，人们可以用这种方式制造丝织物，于是她又发明了纺锤、织机……这就是丝绸的由来。

除瓷器外，丝绸是古代中国人进行对外贸易的重要奢侈品。因此，从古代中国到欧洲的贸易商路被称为“丝绸之路”。这条陆上商路全长 7000 千米，中国境内大约 4000 千米，在 1000 多年的时间里发挥着重要作用，直到人们发现了一条更短的海上丝绸之路。商人们从西安离开，一路来到

地中海，旅行常常持续数年，途经千难万险：沙暴、洪水和强盗。但即使冒着生命危险，商人们依然趋之若鹜。

不光是丝绸，瓷器、漆器、铁器和纸张也是从中国传向西方的。在欧洲，中国的橙子、杏子和桃子等都很受欢迎，很多中国原产花卉也出现在欧洲的花园中，比如牡丹、菊花和杜鹃。另一方面，沿着丝绸之路输送到中国的，是西方人购买货品付出的大量黄金、玻璃制品和一些原来中国没有的蔬菜种子，比如胡萝卜；还有一个奇怪的发明也传入了中国——椅子，古代称为“胡床”。葡萄和石榴也是通过丝绸之路传入的，今天在敦煌壁画中还能见到这两种水果——敦煌是丝绸之路上的交通要塞，见证了中西文化交流的历史。

你可知道，还有一条“草原丝绸之路”，是蒙古草原地带沟通欧亚大陆的商贸大通道，也是丝绸之路的重要组成部分。草原地区的居民以牛、马、羊及其毛皮、乳、肉制品，来交换中原地区的粮食、盐、麻、丝和手工制品。

火车、电动车和自行车

怎样快速地从一个地方到达另一个地方呢？在幅员辽阔的中国，这个问题显得格外重要。在古代，如果你要进京赶考，或者出门做生意，那可要好好与家人告别，因为你可能要出门在外一两年，甚至好几年的时间。

现在，你可以选择乘坐火车、汽车、飞机、轮船等各种交通工具，但要从中国的一端走到另一端，可能也要费上好几天的工夫。

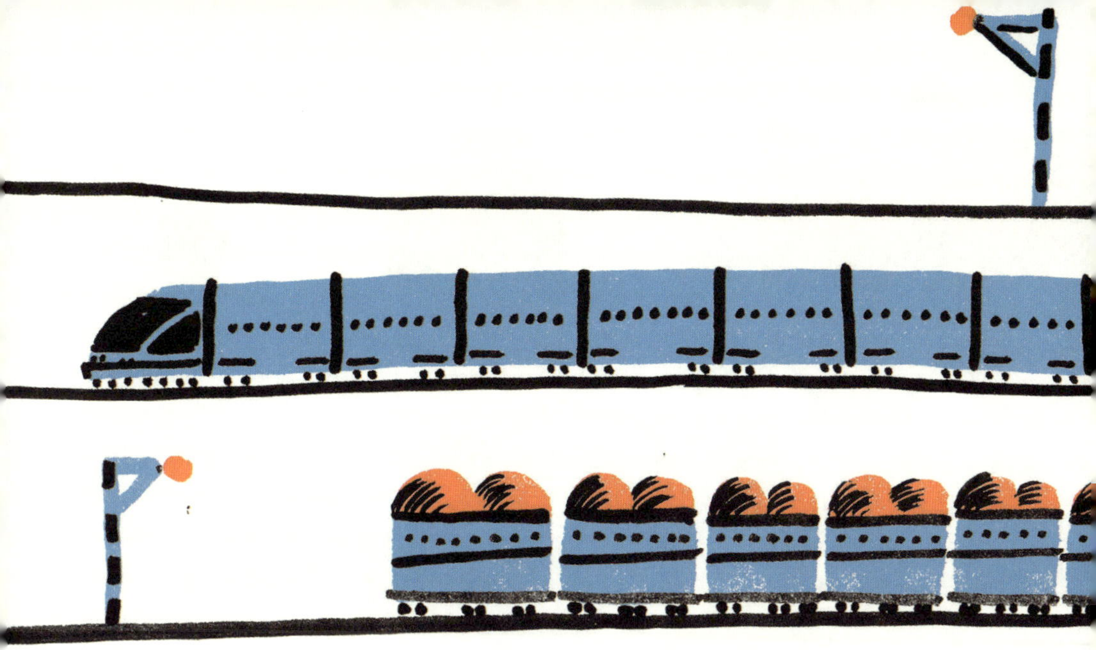

如果出远门的话，坐火车是最经济、便捷的出行方式。今天，中国拥有世界上最现代化的高速铁路网，列车的最快时速可达 350 千米，从北京到上海坐高铁不到 5 个小时。

如果你需要去附近的某个地方怎么办？中国的大城市拥有发达的地铁，每天都有数百万客流量。还有很多人选择自行车，摩托车和电动车同样很受欢迎。有后座的自行车曾经风靡一时，是重要的出行工具，车后座还可以用来驮东西。

虽然现在大家更多地会选择乘坐地铁和公交车，但依然有很多人一年四季都会骑车，因此商家为车主们提供了许多遮风挡雨、防寒防晒的装备。你可以在自行车棚里看到各式各样的改装车，许多摩托车和电动车上都套着特殊的袖子，连接在车把上，这样骑车时就不会冻手。一些车上装有给腿部保暖的“被子”。电动车上有时还会撑起一把伞，用来遮阳或者挡雨。此外还有自行车筐，可以把随身带的大件东西放在里面。

在城市里，多车道的马路分出了一条很宽的自行车道，以保障骑车人的安全。近年来，方便快捷的共享单车成为流行，可以使用智能手机定位，刷城市卡或者扫描二维码租用。

但嘎吱作响的老自行车仍不乏拥护者，骑车人拨着铃铛，在繁华都市中安静的小巷里穿行，无比惬意，真是一种说不出的美好体验。

美食小菜谱

注意，在准备下列菜肴时，需要有大人在旁协助。

粥

早餐好伙伴

在中国有各种口味的粥，最常见的是大米粥，还有各种谷物，比如红豆、小米等做的粥，最有代表性的就是八宝粥了。

粥通常不加任何佐料，但也可以放入肉末、葱末、皮蛋，或者鱼肉、蔬菜、虾米等，可以做成美味的皮蛋瘦肉粥，或者海鲜蔬菜粥。

材料：

半杯大米

五杯水

把大米放进锅里，倒进水，盖上锅盖煮半个小时到四十分钟（煮的时间越长，粥就会越黏稠，但也不要煮太久），首先用大火烧开，接着用小火慢熬。等粥稍稍冷却，就可以把它盛进碗里——地道的中式早餐就做好啦！

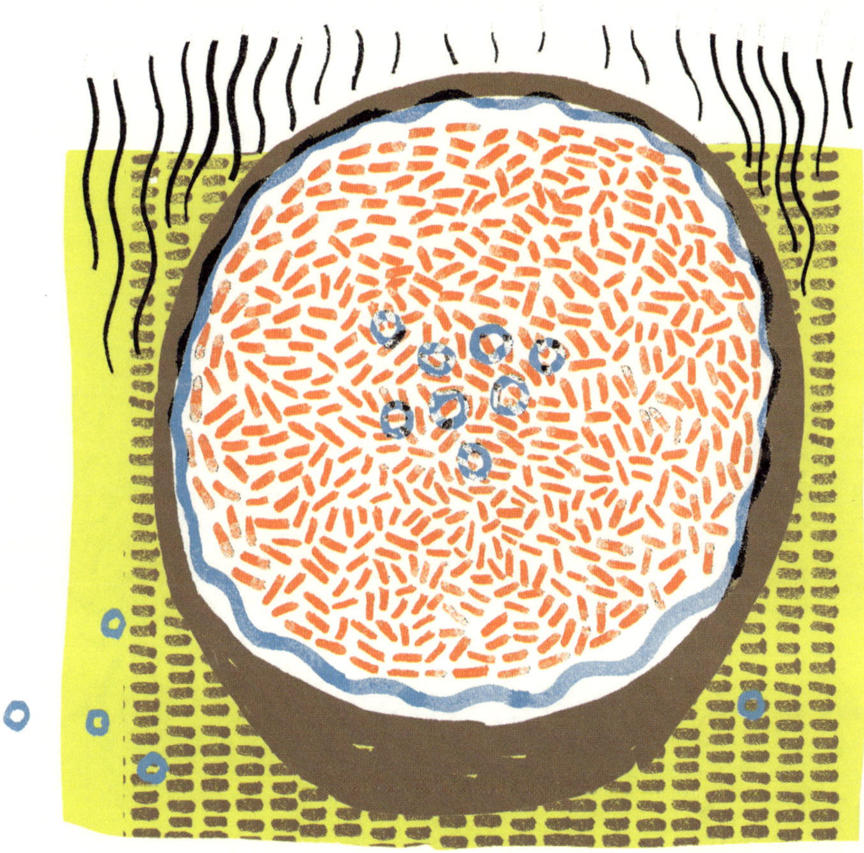

茶叶蛋

好看又好吃

乍一看，剥去蛋壳的茶叶蛋就好像是大理石蛋一样，蛋白上覆盖着深深浅浅的棕色纹路，非常好看。煮出这样的鸡蛋需要花费一些时间，但过程却十分简单。

材料：

4 只鸡蛋

2 勺茶叶（最好是红茶）

2 勺生抽

1 勺老抽

1 小勺糖

1 小勺五香调料

2 至 4 个八角

辣椒适量（这个是否加入可因人而异）

盐适量

桂皮适量

先把鸡蛋煮熟，然后从锅中取出，但不要倒掉水。当鸡蛋稍稍冷却的时候，用勺子小心地敲击鸡蛋，使蛋壳破裂。

往刚才煮鸡蛋的水里放进茶叶和调料，煮沸后再把鸡蛋放进去用小火煮一个小时。接着把鸡蛋连同汤汁一起放置几个小时或一整晚。腌制的时间越长，蛋白上的纹路就越清晰可见，味道也会更浓。

葱油饼

香酥美味

葱油饼是中国人最爱的快餐之一，你可以在早餐摊上买到，也可以自己在家里制作。

它的制作方法看起来有些复杂，需要一次又一次地摊开和卷起。但只要动手做一次，你就知道该从哪儿下手了。

材料：

一杯半面粉

半杯热水

一小把葱末

盐适量

将面粉倒入一个大碗中加入适量的热水，然后揉成筋道的面团。之后放入一个碗中，用布盖住醒发 20 分钟。之后在面团上撒少许干面粉防粘，再次揉成团并捏成条状，然后分成五个等份。每份揉成小团后，擀薄成圆饼。

在圆饼上抹上油，撒上葱末、盐，然后向内卷起成筒状，将葱和油包裹在里面。将圆筒卷起压扁，再次擀开成圆饼。之后下锅煎，等两面都黄澄澄、香喷喷的，就可以出锅啦！

凉拌木耳

“黑云朵”沙拉

黑木耳，在很多中国食品店里都能找到，它们形似乌云，还有一种神奇的属性：只要浸泡在水里，就会变软并且泡发得很大。

中国人非常喜爱这种食材，因为觉得它很健康，在很多菜肴中都会加入木耳。

材料：

一小把干黑木耳

洋葱末

香菜末

几滴麻油

两瓣大蒜

4 勺生抽

2 勺米醋

一小勺糖

把木耳放进冷水或温水中浸泡一两个小时，洗干净后再煮 5 至 10 分钟，捞出来晾干冷却，并切成小块。将糖、醋和酱油混合，加入拍碎的蒜。把木耳、洋葱末和腌料混合拌匀，撒上新鲜的香菜，淋上麻油，放置 20 分钟，让味道充分混合，一道凉拌木耳就做成啦！

油炸冰激凌

冰与火之歌

油炸冰激凌是一道将冷热两种美味完美结合的甜点！冰凉、柔软的冰激凌内里和又热又脆的外皮，正像是一阴一阳，互为补充，和谐地构成一个圆。而这道甜点做起来一点儿都不难！

材料：

一小块冰激凌（最好是奶油或者香草口味的）

半杯面包屑

半杯椰蓉

两只鸡蛋的蛋清

两杯油

先将面包屑和椰蓉混合。用冰激凌勺挖出一球冰激凌，把每一个冰激凌球都沾满蛋清，并裹上面包屑和椰蓉。

将准备好的冰激凌球垫上一层塑料膜，放入盘子里，送进冰箱冷冻 20 分钟。

将冰激凌球拿出来之后再次用面包屑裹一层，接着放回冰箱，这次至少要冷冻两个小时。

把锅里的油烧热，温度要足够高，但不能冒烟。小心地把冰激凌球滑进油里。如果温度合适的话，冰激凌周围的油会像小喷泉那样溢出。

转动冰激凌球，让每一处都充分炸到，然后盛出放到油纸或餐巾纸上，吸掉上面的油。

最后，把它装进盘子里，配上薄荷叶、石榴籽作为装饰，就可以开动啦!

图书在版编目（CIP）数据

好想去旅行．中国 /（波）伊莎贝拉・卡卢塔著；（波）雅采克・安布罗热夫斯基绘；黄珊译．-- 北京：中信出版社，2019.7（2022.1 重印）
ISBN 978-7-5217-0515-7

Ⅰ．①好… Ⅱ．①伊… ②雅… ③黄… Ⅲ．①世界－概况－儿童读物 ②中国－概况－儿童读物 Ⅳ．① K91-49 ② K92-49

中国版本图书馆 CIP 数据核字 (2019) 第 082973 号

好想去旅行・中国

著　　者：[波兰] 伊莎贝拉・卡卢塔
绘　　者：[波兰] 雅采克・安布罗热夫斯基
译　　者：黄珊
出版发行：中信出版集团股份有限公司
（北京市朝阳区惠新东街甲4号富盛大厦2座　邮编　100029）
承 印 者：鹤山雅图仕印刷有限公司

开　　本：787mm×1092mm　1/16　　印　　张：13.75　　字　　数：170 千字
版　　次：2019年 7 月第 1 版　　印　　次：2022年 1 月第 2 次印刷
京权图字：01-2018-6364
审 图 号：GS（2019）1311号
书　　号：ISBN 978-7-5217-0515-7
定　　价：48.00 元

出　　品：中信儿童书店
图书策划：知学园
策划编辑：于姝　　责任编辑：文琴燕　　审　　校：范宁
营销编辑：隋志萍　张超　常丽娜　李丽萍
封面设计：姜婷　　版式设计：谢佳静　　内文排版：王莹